ウオッチマン・ニー全集

第二期　第三三巻

正常なキリスト者の生活

目次

ウオッチマン・ニー全集　第二期　中期の著作（一九三四年から一九四二年まで）

第三三巻　正常なキリスト者の生活

「ウオッチマン・ニー全集」の「正常なキリスト者の生活」への序言

ウオッチマン・ニーは、一九三八年七月に英国へと旅をし、一九三九年五月までそこにとどまりました。この期間、彼はヨーロッパ中を旅し、主が彼に与えられた光から数多くのメッセージをしました。これらのメッセージの多くは英語で語られましたが、中国語には翻訳されませんでした。

しかしながら、これらのメッセージを内容とする何冊かの書が、アングス・キンニア(Angus Kinnear)氏の監修の下で出版されました。これらの書の版権は、キンニア氏の出版社である「キングスウェイ出版社(Kingsway Publishing)が保持しています。「正常なキリスト者の生活」を含むこれらの書は、英文におけるウオッチマン・ニーの務めの傑作として認められており、数多くのクリスチャンに霊的な助けを与えました。これらの書が本全集に収められたのは、キングスウェイ出版社が進んで協力と許可を与えてくださった結果です。リビング・ストリーム・ミニストリーはキングスウェイ出版社に対し、このことへの協力のゆえに感謝の意を表します。

＊本書は、日本では「キリスト者の標準」という題名で広く知られているものです。今回、ウオッチマン・ニー全集に収録するにあたって、本書の題名は、英語原文に合わせて「正常なキリスト者の生活」(The Normal Christian Life)といたしました。

正常なキリスト者の生活

第三版への序言

ウオッチマン・ニーの務めは、英文においては、彼が語ったメッセージのビラや雑誌の記事などの写しでしか知られていませんでしたが、一九五七年に「正常なキリスト者の生活」がボンベイ(現在はムンバイ)で初めて出版されるやいなや、広く一般に受け入れられるようになりました。本書は、このような資料や個人的なノートを集めて、著者が不在の時に編集されたものであり、ニー氏が一九三八年から一九三九年までヨーロッパを訪問した期間中とその直後に語ったメッセージの記録に基づいています。

一九二〇年、彼はまだ大学生であったころ、中国人の伝道者が彼の故郷である福州を訪れた時に、主イエス・キリストを救い主として見いだし、それ以来、倪柝聲(ニー・トーシェン)は自分自身を無条件に神にささげ、自分の国民の間で働きを行ないました。何年にもわたって彼は、賜物ある福音伝道者として、また御言葉の斬新な解説者として、中国で広く知られるようになり、彼の務めは個人に対して、また霊的な強さを持つクリスチャンたちの多くのグループに対して、著しい実を結びました。本書は、彼が制限を受けることなく主に奉仕することができた初期の年月の終わりまでにおける、クリスチャン生活に対する彼の個人的な理解を述べています。

その後の二十年間、中国における神の教会は、何度となく繰り返して起こる最も過酷な試みを経ました。そして著者は、彼と一つになって働き証しする者たちと共に、今に至るまでも彼の経験すべてを分かち合っています。ですから、彼の務めが今日、新鮮さと力をもってわたしたちにまで届くことも、驚くには及ばないことなのかもしれません。多くの人がすでに、キリストの偉大さとキリストが十字架上で終えられた働きとを新しく見いだして、本書によって生活における造り変えがもたらされたことを証しています。

新版の要望があったために、本文をさらに注意深く改訂することが可能となりました。読者の方には再度思い起こしていただきたいのですが、本書は語られたメッセージを編纂《へんさん》したものであり、その外観にかかわらず、キリスト教の教理の組織的な論文ではありません。本書には、知性を活用するものとして近づくのではなく、心に対するメッセージとして近づくべきです。このようにして読むのであれば、本書は、奮い立たせる力をもって、神ご自身の霊からのように語りかけてくるであろうと、わたしは信じています。

アングス・キンニア

一九六一年　ロンドンにて

第一章　キリストの血

正常なキリスト者の生活とは、どういうものでしょうか？　この問題について十分に検討する必要があります。これらの学びの目的は、それが一般のキリスト者の生活とは非常に違っていることを示すことです。

記された神の言葉、例えば山上の垂訓を例として考えると、このような生活は神の御子以外には生きることができないのではないかという疑問が起こってきます。そして間違いなくこのような生活は、「御子ご自身」以外にはできないのです。

使徒パウロは、ガラテヤ人への手紙第二章二〇節において、キリスト者の生き方について一つの定義を下しています。すなわち、「もはやわたしではありません。キリストが」と教えているのです。パウロはここで、何か特別に高度なキリスト教を述べようとしているのではなく、むしろ神がキリスト者に求めておられる基準を啓示していると、わたしたちは信じます。そして、それは「生きているのはもはやわたしではありません。キリストがわたしの中に生きておられるのです」という言葉に要約できます。

神は聖書においてはっきりと語っておられますが、人のすべての必要に対して神はただ一つの答えを持っておられ、それは彼の御子イエス・キリストです。また神はわたしたちに対するあらゆる取り扱いにおいて、わたしというものの中から「わたし」という存在を取り除き、これに代えてキリストをそこに置かれるのです。神の御子は、わたしたちの赦しのために、わたしたちの身代わりとして十字架上で死なれ、そして今わたしたちが罪の力から解放されるために、わたしたちに代わって生きておられるのです。ですから、わたしたちは二つの身代わりと言うことができます。すなわち、わたしたちの赦しを獲得する十字架上の身代わりと、わたしたちの勝利を獲得する内側の身代わりです。

わたしたちのすべての問題に対して、神はただ一つの方法を用いて答えてくださいます。それはすなわち、神の御子をさらに多くわたしたちに啓示するということです。もしわたしたちがこの事実を絶えずわたしたちの前で保つなら、わたしたちは大きな助けを受け、また多くの混乱を免れるでしょう。

わたしたちの二つの問題——複数形の罪と単数形の罪

さて、正常なキリスト者の生活の標準を学ぶ出発点として、あの偉大な解説句であるローマ人への手紙の最初の八つの章を取り上げ、実際的で実験的な観点からこの問題に近づきたいと思います。まず最初に、ローマ人への手紙のこの部分は、前半と後半に分かれ、この二つの部分がその主題において著しく違っていることに注意を払うことが大切です。

この最初の八つの章は、独立した一つの部分となっており、最初の四章半(第一章一節より第五章十一節まで)が前半で、後の三章半(第五章十二節より第八章三九節まで)が後半です。また注意して読めば、この二つの部分の主題は別であることに気づくでしょう。例えば、前半の議論においては、複数形の罪が目立って現れます。しかしながら、後半においては、複数形の罪はほとんど使用されず、その代わりに単数形の罪が繰り返し繰り返し現れ、ここでの中心的な題目となっています。なぜでしょうか?

その理由は次のとおりです。前半では、わたしが神の御前で犯した数々の罪、すなわち列挙し得る多くの罪を取り扱っており、後半では、わたしの内に働く原則としての罪の問題を取り扱っています。わたしがどれだけ多くの罪を犯そうとも、それを犯させるのはいつも一つの罪の原則です。わたしは、犯した多くの罪に対しても赦しを必要としますが、同じように罪の力からも解放される必要があります。前者はわたしの良心に触れますが、後者はわたしの命そのものに触れます。わたしは、自分の犯したすべての罪を赦していただけるとしても、わたしが持っているわたしの罪のゆえに、心には永続的な平安がないのです。

最初に神の光がわたしの心にさし込んだ時、わたしはただ赦しを求めて叫ぶだけです。というのは、神の御前で多くの罪を犯したことを、わたしは自覚したからです。しかしわたしは、多くの罪の赦しを得た時に、新しい発見をするのです。すなわち、それは単数形の罪の発見です。わたしは神の御前で多くの罪を犯しただけでなく、自分の内に何か思わしくないものがあることに気づきます。すなわち、罪人の性質を持っていることを発見するのです。罪へと傾く内側の傾向、つまり罪へと引き寄せる内側の力があるのです。その力が爆発した時に、わたしは罪を犯します。わたしは赦しを求め、そしてその赦しを得るでしょう。しかし、再び罪を犯します。このようにして、生活は悪循環――罪を犯して赦され、また罪を犯す――の中にあり続けるのです。わたしは神の赦しの幸いなる事実に感謝しますが、それ以上のものを欲します。すなわち、罪からの解放を欲するのです。わたしは自分のなしたことに対して赦しを必要としますが、自分の存在そのものからの解放をも必要とするのです。

神の二面の救いの方法——血と十字架

このように、ローマ人への手紙の最初の八つの章には、救いの二つの面が提示されています。第一は複数形の罪の赦し、第二は単数形の罪からの解放です。しかし次に、この事実を心に留めながら、わたしたちはさらに大きな違いに注意しなければなりません。

ローマ人への手紙の第一章から第八章までの第一の部分では、主イエスの血が二度述べられています。すなわち、第三章二五節と第五章九節です。第二の部分では、新しい思想が第六章六節で提示されており、そこでは、わたしたちがキリストと共に「十字架につけられた」と述べられています。第一の部分の理論は、主イエスの働きの一面を範囲としており、それは神がイエスの「血」によって人が犯した罪を赦し、わたしたちを義とするということです。しかしながら、第二の部分の理論の中では、血という言葉は続けて語られてはいません。そこでは、「十字架」によって代表される主の働きの面を中心としています。ここでの十字架とは、わたしたちがキリストの死と葬りと復活の中で彼に結合されることです。この区別は非常に重要です。血はわたしたちのなした行為を対処し、一方で十字架はわたしたちが何であるかを対処するということを、わたしたちは見るでしょう。血はわたしたちの罪を除き去り、十字架は罪を犯す能力の根を打ち砕きます。本書の後半の幾つかの章の中で、第二の面の働きをわたしたちは見るでしょう。

複数形の罪の問題

まず初めに、主イエス・キリストの尊い血と、わたしたちの罪を対処し、わたしたちを神の御前に義とする血の価値について、学んでみましょう。

「すべての人は罪を犯した」(ローマ三・二三)。

「ところが神は、わたしたちがまだ罪人であった時に、キリストがわたしたちのために死んでくださったことによって、ご自身の愛を、わたしたちに明らかにしておられます。まして、今は彼の血の中で義とされているのですから、わたしたちが彼を通して激怒から救われるのは、なおさらのことです」(ローマ五・八、九)。

「価なしに、彼の恵みにより、キリスト・イエスにある贖いを通して、義とされるからです。神はこのキリスト・イエスを立てて、なだめの場所とされました。それは彼の血により、信仰を通してであって、彼の義を明らかに示すためです。すなわち、人が以前に犯した罪を、神は忍耐をもって見過ごされましたが、それは現在の時に彼の義を明らかに示すためです。こうして神が義であり、また彼はイエスの信仰の者を義とされるのです」(ローマ三・二四―二六)。

人類の堕落の真相とその回復の方法については、後ほど学ぶこととして、ここでは、罪が入ってきた時、それが神への不従順という行為において表現されたことを指摘するにとどめましょう(ローマ五・十九)。さてわたしたちは、この罪の問題が起こった時に、それに続いて直ちに罪の自覚が生じることを覚えておかなければなりません。

罪は不従順の形をとって入り、まず第一に神と人との分離を生じます。そのため人は神から引き離されるのです。もはや神は人との交わりを保つことができません。なぜなら、神と人との交わりを妨げる障害物がそこにあるからです。そしてそれは、聖書の至る所において「罪」(単数形)として知られています。このようにして神は、まずすべての者が罪の下にあると聖書に記しておられるのです(ローマ三・九)。第二に、神との交わりの障壁となる人の中の罪は、その人の中に罪の感覚を生じさせ、神から隔離された感覚を生じさせます。ここにおいて人は、目覚めた良心の助けを得て、「わたしは……罪を犯しました」(ルカ十五・十八)と告白するようになります。それだけではなく、罪はまたサタンに、神の御前で人を訴える立場を提供します。また同時に、罪の感覚は、サタンがわたしたちの心の中で責めるための地位を与えます。こういうわけで、第三に、それは「兄弟たちを訴える者」(啓十二・十)であり、今や「あなたは罪を犯した」と言うのです。

それゆえに、主イエスはわたしたちを贖い、神の目的にわたしたちを連れ戻すために、この三つの問題、すなわち罪と罪の感覚とわたしたちに対するサタンの訴えに対して、何かを行なわなければなりませんでした。まず最初に、わたしたちの複数形の罪が対処されなければなりません。このことは、キリストの尊い血によって成し遂げられました。次にわたしたちの罪の感覚が対処されなければなりません。この罪の感覚は、キリストの血の価値を示されることによって安らかになるのです。最後に、サタンの攻撃が解決され、彼の訴えが無効にされなければなりません。聖書は、キリストの血が三方面、すなわち神と人とサタンに向かって、有効に働いていることを示しています。

このように、わたしたちが前進しようとするなら、血の価値を自分のものとすることが絶対に必要です。

これが最も必要なことです。わたしたちの身代わりとなられた主イエスの死についての基本的な認識と、わたしたちの複数形の罪に対する主イエスの血の効力を、はっきりと十分に把握する必要があります。というのは、これがなければ、わたしたちはまだ道を歩み始めたとは言えないからです。それでは、この三つの事柄をもう少し詳細に検討していきましょう。

血はおもに神のためである

血はなだめのためのものであり、まず第一に神の御前におけるわたしたちの立場に関係を持っています。わたしたちは神の裁きを受けなくてすむために、犯した多くの罪の赦しを必要とします。罪は赦されますが、それは、神がそれらの罪を見過ごされるからではなく、血を見られるからです。それゆえに、血は第一にはわたしたちのためではなく、神のためなのです。血の価値を理解したいと思うなら、神がその血をどのように評価しておられるかを知る必要があります。もしわたしが血に対する神の評価を知らなければ、それが自分にとってどのような価値を持っているかわからないでしょう。キリストの血に対する神の評価が聖霊によって明らかにされた時にのみ、わたしはその血のもたらす益にあずかり、その血がわたしにとっていかに尊いかを知るのです。しかし、血の第一の面は、神に向かうものです。旧新約聖書を通じて「血」は百回以上出てきますが、それはなだめと関係を持っており、そのいずれも神のためのものです。

旧約の暦において、わたしたちの複数形の罪に関して大きな意義を持つ日があります。それはなだめの日です。この日ほど、複数形の罪の問題をはっきり説明するものは、ほかにないでしょう。レビ記第十六章には、なだめの日に、罪のためのささげ物の動物から血が取られ、至聖所に運ばれて、主の御前に七たび注がれると書いてあります。わたしたちはこのことについてはっきりしていなければなりません。その日、罪のためのささげ物は、幕屋の外庭で公にささげられました。すべてのものが何のおおいもなくそこにあり、だれもがそれを見ることができました。しかし神は、大祭司以外の者が幕屋の中に入ることを禁じられました。大祭司のみが血を持って至聖所に入り、なだめのために主の御前にそれを注いだのです。なぜでしょうか？　それは大祭司が、贖いのみわざにおける主イエスの予表であったからです(ヘブル九・十一、十二)。すなわち、大祭司は、予表として贖いのみわざを行なったのです。大祭司以外の者は、至聖所に近寄ることもできませんでした。しかも至聖所で行なう行為は、一つしかなかったのです。それは、神に受け入れられ、神の喜びにかなうものとして、血を神にささげることでした。それは至聖所における大祭司と神との取り引きであり、それによって益を受ける人たちの見えない所でなされました。主がこのことを要求されたのです。それゆえに、血はまず第一に神のためのものであったのです。

これより前に、イスラエル人の贖いのために、エジプトにおいて過越の小羊の血が流されたことが述べられています(出第十二章、第十三章)。これもまた、旧約におけるわたしたちの贖いの最上の予表の一つです。小羊の血は、入り口の柱とかもいに塗られ、その肉は家の中で食されました。神は、「わたしはその血を見て、あなたがたの所を過ぎ越すであろう」(出十二・十三)と言われたのです。ここに、血は人のために提示されるものではなく、神のために提示されるものであるというもう一つの例証を見いだします。なぜなら、血はかもいと柱に塗られていたので、家の中で食事している人々には見えなかったからです。

神は満足された

神の聖と神の義は、人のために罪なき命が与えられることを要求します。血には命があり、その血がわたしのため、わたしの罪のために注がれなければならないのです。このように要求されるのは神です。神の義を満足させるために、血の提示を要求するのは神ご自身です。そしてまた、「わたしはその血を見て、あなたがたの所を過ぎ越すであろう」と言われたのも神です。キリストの血は、全面的に神を満足させるのです。

ここで、主にある若い兄弟姉妹に一言付け加えたいと思います。なぜなら、この点で困難を感じる場合が少なくないからです。神の言葉がわたしたちを目覚めさせる前には、わたしたちは未信者として全く良心に煩わされなかったことでしょう。わたしたちの良心は死んでおり、そして死んだ良心を持った者は、神に用いられるはずがありません。ところが、後に信仰を持つようになると、目覚めた良心は極めて鋭敏になり、わたしたちに大きな問題をもたらします。しかも罪の感覚と良心のとがめがあまりにも大きくなり、恐怖心さえ与えるようになると、キリストの血の真の効力を見失いそうになる場合があるのです。罪があまりにも実際なものとして迫り、特定の罪があまりにも度々わたしたちを悩ますと、キリストの血よりも罪のほうがはるかに大きく感じられるのです。

この時、すべての問題は、わたしたちがキリストの血の価値を感じようと努力しているところにあります。わたしたちは血の価値を感じようと努力し、血がわたしたちにとってどのようなものであるか主観的に評価しようと努力しているのです。しかし、そうすることは不可能であり、このような方法は益を与えません。血はまず神ご自身がご覧になるためのものです。続いてわたしたちは、その血に対する神の評価を受け入れなければなりません。そうすることによって、わたしたちの側の評価を見いだすのです。しかし、そうしないで、自分の感覚に頼って評価しようとすると、得るところがなく、暗やみの中に閉ざされてしまいます。神の言葉を信頼することが第一です。神が血は尊いと言われるからこそ(Ｉペテロ一・十八、十九)、わたしたちも血が尊いと信じなければなりません。もし神が血をわたしたちの罪の代価として、また贖いの代価として受け入れられるなら、わたしたちは負債が支払われたとして、心を安らかにすることができるのです。神が血によって満足されるなら、その血は受け入れられるべきものに違いありません。血に対するわたしたちの評価は神の評価に準じるものであって、それ以上でもそれ以下でもありません。もちろんそれ以上であるはずはなく、またそれ以下であってもなりません。覚えておくべきことは、神は聖であり、また神は義であり、そして聖で義なる神は、血はご自身の目に受け入れられ、また完全にご自身を満足させたと言う権利を持っておられるということです。

信者は神へと近づく

血は神を満足させたので、当然わたしたちをも満足させるはずです。ですから、第二に、血はわたしたちの良心を清めるという、人に対する効力を持っています。ヘブル人への手紙を見る時、血がこのことを可能にすることを知ります。「心はすすがれて邪悪な良心から離れ」(ヘブル十・二二)。

これは最も大切な事柄です。注意して読むと、ヘブル人への手紙の著者は、主イエスの血がわたしたちの心を清めると言っているのではありません。血と心とをそのように関係づけることは誤りです。「主よ、あなたの血をもってわたしの心を罪から清めてください」と祈るなら、キリストの血の働きの範囲を誤解したことになります。神が「心はよろずの物よりも偽るもので、はなはだしく悪に染まっている」（エレミヤ十七・九）と言われているとおり、心は単に清めるだけでは足りないのです。神は新しい心をわたしたちに与える必要があります。

わたしたちは、捨てるつもりのぼろを洗たくしたり、アイロンをかけたりはしません。もうすぐ学ぶように、肉は清められるにはあまりにも悪くなりすぎているので、十字架につけられる以外に道がないのです。わたしたちの内における神の働きは、全く新しいものでなければなりません。「あなたがたに新しい心を与え、あなたがたの内に新しい霊を授ける」（エゼキエル三六・二六）。

血がわたしたちの心を清めるなどというような記載は、聖書のどこにも見あたりません。血の働きはそのように主観的なものではなく、神の御前における全く客観的なものなのです。確かに、ヘブル人への手紙第十章には、心に関連して血の清めの働きに関することが書かれていますが、それは良心と関係しているのです。「心はすすがれて邪悪な良心から離れ」。これはどういう意味でしょうか？　それは、神と自分自身との間に妨げとなるものがあるということを意味しています。その結果わたしは、神に近づこうとする時、良心のとがめを持つのです。その良心のとがめは、神とわたし自身との間にある障害物を絶えずわたしに思い起こさせます。しかし今や、キリストの尊い血の働きによって、神の御前に新しいことがなされ、その結果、障害物が取り除かれました。神はこの事実を御言葉をもってわたしに知らせてくださいました。そのことを信じ、受け入れる時、わたしの良心は直ちに清められ、罪の感覚は取り除かれます。そしてわたしは、神に対してもはや良心のとがめを持たないのです。

神との交わりにおいてとがめのない良心を持つことがいかに尊いことであるか、だれもが知っています。信じる心と、何の訴えもない良心とが、わたしたちにとって同様に重要です。というのは、この両者は相互依存の関係にあるからです。良心が不安を覚え始めた瞬間に、わたしたちの信仰は弱くなり、すると直ちにわたしたちは、神に直面することができなくなることを知ります。したがって、神との交わりを保つために、わたしたちは今現在の血の価値を知らなければなりません。神が記録する帳簿は短期的なものです。毎日、毎時、毎分、わたしたちは血によって神に近づくのです。この事実をしっかり把握していれば、決して血は神に近づく土台としての効力を失いません。至聖所に入る時、血以外の根拠があり得るでしょうか？

しかし、わたしは自分自身に問いたいのです。果たしてわたしは、血によって神の臨在に入ろうとしているのでしょうか？　あるいはそれ以外の方法で近づこうとしているのではないでしょうか？　この「血によって」ということは、どういう意味でしょうか？　それはまさに、わたしが自分の複数の罪を認め、清めとなだめの必要を告白し、主イエスの成し遂げられたみわざを根拠として御前に出ることを意味します。わたしは自分のなしたわざではなく、主イエスの功績によってのみ神に近づくのです。例えば、「今日は特別に親切だった」とか、「忍耐があった」とか、「今朝、主のためによい事をした」とかいうようなことによって、神に近づくことができるのではありません。いつでも血によらなければ、神に近づくことはできないのです。神に近づこうとする時に、非常に多くの人が犯しやすい過ちがあります。それは、神はご自身とのさらに親しい交わりをわたしたちに望んでおられ、また十字架のより深い学課を教えようとしておられるために、わたしたちの前に新しい基準を設けておられるのであるという考えです。そのためわたしたちは、その基準に達することによってのみ、御前に曇りのない良心を持つことができると想像するのです。しかし、曇りのない良心は、決してわたしたちが何かをすることに基づいているのではなく、主イエスが血を流すことによってなされたみわざにのみ基づいているのです。

これは、あるいはわたしの思い違いかもしれないのですが、次のように考えている人があるように感じられてなりません。「今日は今までより少しは注意深かった。今日は今までより善良だった。今朝、御言葉を暖かい気持で読むことができた。だから、今日はよく祈ることができる」とか、「今朝、家族と少しざこざがあった。そのため憂うつな気持ちで一日が始まった。今、心はあまり晴れやかでない。何かが間違っているのに違いない。だから神に近づくことはできない」とかです。

神に近づく根拠は、いったい何にあるのでしょうか？　あなたは、今日は神のために何かをしたというような、あなたの感覚の不安定な根拠によって神に近づくのでしょうか？　それともはるかに確かなもの、すなわち血が流され、しかも神がそれを見て満足しておられるという事実に根拠を置くのでしょうか？もしキリストの血に少しでも変化が生じる可能性があるとすれば、あなたが神に近づく土台は信頼の薄いものとなるでしょう。しかし、昔も今も血には決して変化がありません。またこれからもありません。ですから、神に大胆に近づくことができます。その大胆さは、血を通してあなたのものとなるのであって、決して自己のわざによって自分のものになるのではありません。今日の、あるいは昨日の、あるいは一昨日の功績がどうであろうとも、あなたが至聖所に来たと感じるやいなや、直ちにあなたは、流されたキリストの血という信頼のおける唯一の土台の上に立たなければなりません。その日が良くても悪くても、自分が罪を犯したと感じようと感じまいと、あなたが神へと近づく根拠はいつも同じです。すなわち、キリストの血です。この真理は決して変わることがありません。

キリスト者の経験には幾つかの段階があるように、神に近づくこのことにも二つの面があります。すなわちそれは、出発の面と前進の面です。前者はエペソ人への手紙第二章に、後者はヘブル人への手紙第十章に提示されています。神に近づくことの出発点は、血によって獲得されました。「今やキリスト・イエスの中で、キリストの血によって近くなったのである」(エペソ二・十三)。しかし、その後続けて近づくことでの土台も、依然として血によるのです。「こういうわけで、兄弟たちよ、わたしたちはイエスの血によって、大胆に至聖所へ入ります。……至聖所に進み出ようではありませんか」(ヘブル十・十九、二二)。わたしはまず初めに、血によって神に近づけられました。そして、その新しい関係を継続するために、絶えず血によって近づくのです。救いと交わりの基礎は同一です。これは福音の初歩であって、あまりにも当然だという人もいるかもしれませんが、わたしたちの多くは、この単純な福音の初歩からはずれているのです。自分は前進したからそんなものはいらないと、わたしたちは考えてきました。しかし、そうすることは決してできません。最初の時、わたしたちは血によって神へと近づくのであり、またその後も神の御前に来る時はいつでも、やはり同じように血によるのです。最後まで、血以外の基礎はあり得ないのです。

これは決してわたしたちがいい加減な生活をしてもよいということを意味するのではありません。後ほどわたしたちはキリストの死の別の面を学びますが、そこでそのようなことは少しも考えられないことを知るでしょう。しかしここでは、血をもって満足し、血があればそれで十分であるとしましょう。

わたしたちは弱いかもしれませんが、自分の弱さを見つめていることは、決してわたしたちを強くはしません。いかなる後悔も少しもわたしたちを聖とすることはできないのです。そのようなことには何の益もありません。ですからわたしたちは、血によって大胆に神に近づきましょう。「主よ、わたしはキリストの血の価値を十分に知ることはできません。しかしわたしは、血があなたを満足させたことを知っています。ですから、血があればわたしは十分であり、しかもこの血はわたしの唯一の嘆願です。わたしが前進したかどうか、あるいはわたしが何かを達成したかどうかということは、問題ではありません。御前に近づく時は、いつも尊い血を根拠として来ます」。このようにすれば、わたしたちの良心は、御前にあって真に曇りのないものとなります。血から離れて、曇りのない良心を持つことはできません。御前に近づく大胆さを与えるのは、血です。

ヘブル人への手紙には、「もはや罪の意識がなくなる」（十・二）という驚くべき御言葉があります。わたしたちはすべての罪から清められています。ですから、わたしたちはパウロと共に、「主が罪を決して勘定されない人は幸いである」（ローマ四・八）とのダビデの言葉に、真に呼応することができるのです。

訴える者に打ち勝つ

今までの事柄を見れば、今度は敵に対することができます。というのは、血にはサタンに向かう一面があるからです。現在のサタンの最も計略的な活動は、わたしたちの兄弟を訴えるところにあります（啓十二・十）。これに対して、わたしたちの主は大祭司としての特別な務めにおいて、「ご自身の血を通して」（ヘブル九・十二）サタンに立ち向かわれるのです。

それでは、血はサタンに対してどのような働きをするのでしょうか？　それは神を人の側に置いて、サタンと対抗させるのです。人の堕落によって、サタンは人の中に足場を獲得したので、神は人から退かなければならなくなりました。現在、人は園の外におり、神の栄光に欠けています（ローマ三・二三）。なぜなら、人の内側は神から遠く離れているからです。人は自らがなしたことのために、人の内にはあるものがあり、それが取り除かれるまでは、神は道義上、人を保護することができないのです。しかし、血はその障害を取り除き、人の神に対する関係、また神の人に対する関係を回復させます。人は神の恵みにあずかり、神は人の側にいてくださるため、人は何の恐れもなくサタンに向かうことができるのです。

あなたがたは、ヨハネの第一の手紙第一章七節の言葉を覚えていると思います。わたしが最も好きなダービー訳は、次のように言っています、「御子イエスの血が、一つ一つの罪からわたしたちを清めます」。この罪とは包括的な「あらゆる罪」ではなく、犯した一つ一つの罪、一つ一つの罪の項目を指しています。ここに、目を見張るべき事柄が隠されています。神は光の中におられるので、わたしたちが神と共に光の中を歩めば、すべてのものが光に照らし出されます。したがって、神はすべてのものを見ることができます。それにもかかわらず血は、わたしたちの一つ一つの罪を清めることができるのです。何とすばらしい清めでしょう！　この清めとは、わたしが自分自身について深い認識を持っていないということでも、神がわたしに対して完全な認識を持っておられないということでもありません。また、わたしが何かを隠そうとし、あるいは神が何かを見逃そうとされることでもありません。そうではなく、神が光の中にいまし、またわたしも光の中におり、そこにおいて尊い血が一つ一つの罪からわたしを清めるのです。血はそれをなすのに十分なのです。

ある人は、しばしば自分の弱さに圧迫され、自分は赦されない罪を持っていると考えがちです。しかし、「御子イエスの血が、一つ一つの罪からわたしたちを清めます」という御言葉を思い起こしましょう。大きな罪、小さな罪、真っ黒な罪、そんなに黒くない罪、赦されそうな罪、そうです、ありとあらゆる罪が、意識しているものと意識していないものとを問わず、覚えているものと覚えていないものとを問わず、「一つ一つの罪」という言葉の中に含まれているのです。「御子イエスの血が、一つ一つの罪からわたしたちを清めます」。なぜなら、まず第一に、その血は神を満足させるからです。

神は光の中にあってわたしたちのすべての罪を見られ、キリストの血を根拠にそれらの罪を赦すことができます。したがって、サタンは何の根拠をもってわたしたちを訴えることができましょう。サタンは神の御前でわたしたちを訴えるかもしれませんが、「もし神がわたしたちの味方であるなら、だれがわたしたちに敵対し得るでしょうか？」（ローマ八・三一）です。神はサタンに御子の血を示されます。しかもそれは、サタンに弁解の余地を与えない、十分な答えです。「神が選ばれた者たちを、だれが訴えるのですか？　神がわたしたちを義とされるのです。だれが罪に定めるのですか？　キリスト・イエスは死んで、さらに復活させられ、神の右で、わたしたちのためにとりなしておられます」（ローマ八・三三、三四）。

ここにおいても、わたしたちは尊い血が絶対的に十分であることを認める必要があります。「しかし、キリストが来て、すでに臨んでいるすばらしい事柄の大祭司となられ……ご自身の血を通して、一度限り至聖所へと入り、永遠の贖いを獲得されたのです」（ヘブル九・十一、十二）。主が贖い主であったのは一度だけでした。彼が大祭司と弁護者となっておられるのは、二千年近くにもなります。彼は神の御前における「罪のためのなだめの供え物」（Ｉヨハネ二・一、二）です。ヘブル人への手紙第九章十四節の「その血は、なおさらわたしたちの良心を清めて」という御言葉に注意してください。この言葉は、キリストの務めが十分であることを語っています。その血は、神に対して十分であるのです。

それでは、サタンに対するわたしたちの態度はどうあるべきでしょうか？　これは大切なことです。なぜなら、彼は神の御前でわたしたちを訴えるだけでなく、わたしたちの良心にも訴えるからです。サタンの言い方は、「おまえは罪を犯した。しかも、絶えず犯し続けている。おまえは弱い。だから神は、これ以上お前に何もすることができない」です。この時、わたしたちは自分自身の中に、自己の感覚の中に、あるいは行為の中に、サタンが間違っているとの根拠を見いだそうとする誘惑に陥りやすいものです。あるいはまた、これとは反対に、自分の無力さを認めて失望し、意気消沈するという誘惑に陥りやすいのです。このように、サタンの訴えは、彼の最も効果ある武器の一つであるのです。彼はわたしたちの罪を指さし、それをもって神の御前でわたしたちを訴えようとします。その時、もしわたしたちが彼の訴えを認めるなら、直ちにわたしたちは敗北を招くのです。

わたしたちがサタンの訴えを容易に認めてしまう理由は、わたしたちがまだ自分の義に望みを置いているところにあります。自己に望みを置くことは間違っています。そのようにすれば、サタンはわたしたちに、間違った方向へ顔を向けさせることに成功したと言えます。こうしてサタンは勝利を得、わたしたちを無力にしてしまうのです。しかし、わたしたちが肉に信頼を置かない学課を学ぶなら、罪を犯しても別に驚くことはないはずです。というのは、罪を犯すことがまさしく肉の性質であるからです。わたしの意味することがわかるでしょうか？　わたしたちは自己の真の性質を十分に認めておらず、自分がいかに無力であるかを知らないために、自分の内に依然として何らかの期待を持っています。その結果、サタンが来てわたしたちを訴える時に、わたしたちは敗れてしまうのです。

神はわたしたちの罪を十分に対処することができるのですが、サタンの訴えの下にある人を取り扱うことはできません。なぜなら、そのような人は血を信頼しないからです。血はその人の味方であるにもかかわらず、彼はサタンの声に耳を傾けています。キリストはわたしたちの弁護者であるのに、わたしたちは訴える者の側に立っているのです。わたしたちは、自分が死に値する以外に何の価値もないことをまだ認めていません。すなわち、後に学ぶことですが、わたしたちは、自分を十字架につける以外に道がないことを認めていないのです。わたしたちは、神のみが訴える者に応じることができること、また神はすでに尊い血によってそうしておられることを、認めていないのです。

わたしたちの救いは、主イエスを仰ぎ望むことと、小羊の血がわたしたちの罪によって引き起こされたあらゆる状態に応じ、そしてそれを解決したのを見ることにあります。それが、わたしたちの立つべき固い土台です。わたしたちは自己の善行によってではなく、いつでも血によってサタンに応答すべきです。確かにわたしたちは罪深い者ですが、主に感謝します、血は一つ一つの罪からわたしたちを清めます。神は、代価をすべて払った御子の血を見られるのですから、サタンはもはや攻撃の根拠を持つことができません。尊い血に対するわたしたちの信仰と、血によって得られた立場から絶対に離れないことが、サタンの訴えを沈黙させ、彼を追い払うのです(ローマ八・三三、三四)。しかもこの事実は最後まで変ることがありません(啓十二・十一)。神が愛する御子の尊い血をどれほど高く評価しておられるかをさらに知ることができれば、わたしたちは何という解放を経験することでしょう!

第二章　キリストの十字架

わたしたちは、ローマ人への手紙第一章から第八章までが二つの区分に分かれること、またその前半は、血がわたしたちのなしたことを対処しているということを学びました。後半では、十字架が、わたしたちの存在そのものを対処することを学びます。赦しのためには血が必要です。一方で、解放のためには、わたしたちは十字架を必要とします。今まで簡単に最初の項目について扱ってきましたが、今度は第二の項目に移りましょう。しかしその前に、さらにこの部分の幾つかの特徴を見てみましょう。これらの特徴は、この二つの部分が主題とその述べ方において異なっていることを、強調しています。

さらに進んだ区別

第四章と第六章に、復活の二面が述べられています。第四章二五節には、「イエスはわたしたちの違犯のために渡され、わたしたちが義とされるために復活させられました」とあるように、主イエスの復活が義認と関連して述べられています。ここでわたしたちは、神の御前におけるわたしたちの立場を見ます。しかし、第六章四節では、復活がわたしたちに新しい命を与えて、わたしたちに聖《きよ》い生活を送らせることを述べています、「キリストが……死人の中から復活させられたように、わたしたちも命の新しさの中を歩くためです」。

さらに「心の平安」についても、第五章と第八章の両方の部分で語られています。ローマ人への手紙第五章は、キリストの血を信じ義とされたことによって与えられる、神との平安を記しています。「こういうわけで、わたしたちは信仰によって義とされているので、わたしたちの主イエス・キリストを通し、神に対して平和を持っています」(ローマ五・一)。これは、わたしが現在すでに罪の赦しを得ているので、神はわたしにとって、もはや恐怖や不安の原因とはならないことを意味します。神に対する敵であったわたしは、「御子の死を通して神に和解させられた」(ローマ五・十)のです。しかし、わたしは間もなく、わたしが自分自身にとって非常に大きな問題となることを発見します。依然としてわたしの内に不安があります。なぜなら、わたしの内にまだわたしを罪へと引き付けるものがあるからです。神との平安はあるけれども、自分自身に対しては平安がないのです。わたしの心の内には戦いがあり、その状態が第七章にはっきりと描かれています。そこでは、霊と肉との死闘がわたしの内で行なわれていることを指摘しています。しかし、ここから主題は、第八章の霊にしたがって歩くことによって与えられる内なる平安へと移ります。「肉に付けた思いは死です」。なぜなら、それは「神に敵対するからです」。しかし、「霊に付けた思いは命と平安です」(ローマ八・六、七)。

さらに注意してみると、前半は一般的に義認の問題を取り扱っていますが(例えば、ローマ三・二四—二六、四・五、二五)、後半はおもに聖別の問題を取り扱っている(ローマ六・十九、二二)ことにも気づきます。信仰による義認の尊い真理を知ったとしても、わたしたちはまだ物語の半分しか知っていないのです。わたしたちは、神の御前における立場の問題しか解決していないのです。さらに読んでいくと、神は、わたしたちにそれ以上の問題を提示しておられるのがわかります。それは、わたしたちの行為の問題の解決です。これらの章における思想の発展が、このことを強調しています。以上、両方の場合とも、第二の段階は第一に続いています。もしわたしたちが第一の段階だけしか知らないのであったなら、まだ正常でないキリスト者の生活を送っていることになります。それでは、どうすれば正常なキリスト者の生活を送ることができるでしょうか？　もちろん罪の赦し、義認、神との和解が信仰の基礎であり、欠くことのできないものであることは言うまでもありません。しかし、キリストを信じるという最初の行為によって確立された基礎だけでは不十分であり、前に述べたとおり、わたしたちはそれ以上のものに向かって前進しなければならないのです。

わたしたちは、血がわたしたちの罪を客観的に対処するということを知りました。主イエスは、わたしたちの身代わりとして、それらの罪を十字架上で担い、わたしたちに罪の赦しと義認と和解とを得させてくださいました。しかし、わたしたちの中にある罪の性質を神がいかに対処されるかを理解するためには、もう一歩前進して神の御計画の深みに入る必要があります。血はわたしの罪を洗い落とすことはできますが、わたしの「古い人」を洗い落とすことはできません。わたしというこの古い人は、十字架に釘《くぎ》づけられる必要があります。血は罪を対処します。しかし、十字架は罪人を対処しなければなりません。

ローマ人への手紙の最初の四つの章には、「罪人」という言葉がほとんど出てきません。その理由は、ここでは罪人というよりも、むしろ彼が犯した罪が強調されているからです。「罪人」という言葉が主要な地位を占めるのは、第五章になってからです。それがどのように語られているかに注意しなければなりません。そこでは罪人は、彼が罪人として生まれたから罪人であると記されています。罪を犯したから罪人なのではありません。ここの区別は大切です。福音の働き人は、通りを歩く人に罪人であることを自覚させようとして、しばしばローマ人への手紙第三章二三節の「すべての人は罪を犯した」を引用しますが、この箇所をこのように使うことは、厳密に言えば聖書的に正しいとは言えません。そのように引用することは、本末転倒になる危険に陥りやすいのです。というのは、ローマ人への手紙は、わたしたちが罪を犯したから罪人であるとは教えていないからです。そうではなく、わたしたちは罪人であるから罪を犯すと教えているのです。わたしたちが罪人であるのは、行為によるよりも、むしろ構成によるのです。ローマ人への手紙第五章十九節は、このことを明らかにしています。「一人の人の不従順を通して、多くの人が罪人に構成された」。

それでは、わたしたちはどのようにして罪人に構成されたでしょうか？ それは、アダムの不従順によってです。わたしたちが罪人となるのは、自分が行なったことによってではなく、アダムが行なったことと、アダムが何になったかによります。英語を話せるからといって、わたしは英国人になるわけにはいきません。わたしは相変わらず中国人です。ローマ人への手紙第三章は、わたしたちの関心をわたしたちの行為に向けさせます――「すべての人は罪を犯した」。しかし、覚えておかなければなりませんが、わたしたちが罪人になるのは、わたしたちが行なったことによるのではありません。

かつてわたしが子供たちに、「罪人とはどのような人ですか？」と尋ねた時、子供たちはすぐに「罪を犯した人です」と答えました。確かに罪を犯す人は罪人です。しかし、罪を犯すということは、彼がすでに罪人であることを証拠づけるものであり、決して罪人となる原因ではありません。罪を犯す人は罪人ですが、罪を犯さないとしても、もしその人がアダムの種族であれば、依然として罪人であり、贖いを必要とします。おわかりでしょうか？　悪い罪人もおり、善良な罪人もいます。道徳的な罪人も、腐敗した罪人もいます。しかし、そのどれも罪人であることには変わりがありません。しばしばわたしたちは、過去のある特定の行為を悔やみ、それさえなければよかったのにと思うようなことがあります。しかし問題は、わたしたちが何を行なうかということよりももっと深い所、すなわちわたしたちが何であるかにあるのです。中国人は、米国で生まれたとしても、また中国語を少しも話せないとしても、れっきとした中国人です。なぜなら、彼は中国人として生まれたからです。生まれによって中国人となるのです。ですから、わたしはアダムにあって生まれたので、わたしは罪人なのです。わたしの行為の問題ではなく、血統と遺伝の問題です。わたしは、罪を犯すから罪人なのではなく、罪深い種族から出ているから罪人なのです。ですから、わたしが罪を犯すのは、わたしが罪人であるからです。

よくわたしたちは、悪いのは自分の行なったことであって、自分自身ではないと思いがちです。しかし、神は、わたしたちの存在自体が根本的に悪いということを、何度もわたしたちに示そうとされます。根本的な問題は罪人自身にあり、その罪人が対処されなければなりません。わたしたちの罪は血によって対処されますが、わたしたち自身は十字架によって対処されます。血はわたしたちが行なったことに対して赦しを得させ、十字架はわたしたちの存在からの解放を与えます。

人の生まれながらの状態

　このようにしてわたしたちは、ローマ人への手紙第五章十二節から二一節の御言葉へとやって来ます。このすばらしい箇所において、恵みが罪と対比されています。またキリストの従順が、アダムの不従順と対比されています。このことは、ローマ人への手紙の後半（五・十二―八・三九）の初めの部分に記されていますが、今、この点を特に注意して見てみましょう。ここでの論理は、一つの結論へと至ります。この一つの結論は、わたしたちがさらに進んで熟慮することの基礎となります。その結論とは何でしょうか？それはすでに引用した十九節に見ることができます。「一人の人の不従順を通して、多くの人が罪人に構成されたように、一人の方の従順を通して、多くの人が義なるものに構成されます」。ここにおいて、神の霊はまずわたしたちに、わたしたちがどのようなものであるかを示し、次に、どのようにしてわたしたちがそうなったかを示そうとしておられるのです。

　クリスチャン生活の初期において、わたしたちは自分の行為に関心を奪われるため、自分の状態に注意しないことがあります。そしてわたしたちの状態がどうであるかということより、何をしたかという事に心を悩ますのです。過去の特定の行為を正すことができれば、善良なクリスチャンになることができると思うのです。そして行為を変えようと努力します。しかし、その結果は、わたしたちが想像していたようにはなりません。すなわち、わたしたちは、外面に現れた単なる問題以上のもの、すなわち、内側に重大な問題があることを発見して悩むのです。わたしたちは主を喜ばせようとしますが、自分の内側に主を喜ばせようとしないものがあることを発見します。わたしたちはへりくだろうとしますが、へりくだるのを拒むものがわたしたちの存在そのものの中にあるのです。わたしたちは愛そうとしますが、心の中では最も愛に欠けていると感じるのです。わたしたちは笑顔を見せたりして、自分を優しく見せようとしますが、心の中では全く優しくないと感じるのです。わたしたちは外面で正しく改めようとすればするほど、わたしたちの内側の問題がいかに深く根ざしているかを認識します。その時わたしたちは、主の御前に出て、「主よ、今わたしはわかりました！　わたしの行為が悪いだけでなく、わたし自身が悪いのです」と告白するのです。

ローマ人への手紙第五章十九節の結論が、今やわたしたちに対する夜明けの始まりです。わたしたちは罪人です。わたしたちは、本来神が意図されたものとは構成の異なる種族であるのです。堕落によって、アダムの性質の中に根本的な変化が起こり、そのため彼は根本的に神を喜ばせることのできない罪人となりました。そして、わたしたちみなが受け継いでいるこの種族の類似点は、単に表面的なものではなく、わたしたちの内側の性格にも影響を及ぼしています。わたしたちは「生まれつきの罪人」です。どうしてこのようになったのでしょうか？　その原因をパウロは、「一人の人の不従順を通して」と記しています。このことを次の例で説明したいと思います。

わたしの名前はニーで、中国では別に珍らしい名前ではありません。わたしがその名前を選んだわけでもなく、わたしの意志によってつけられたのでもありません。またわたしはそれを変えることもできません。わたしの父の名前がニーであるためにわたしの名前もニーであり、またわたしの祖父の名前がニーであったために、わたしの父の名前もニーなのです。わたしはニー家の一員にふさわしく行動してもしなくても、なおもニーです。たとえ中華民国の総統になったとしても、あるいはこじきになったとしても、依然としてニーです。わたしが何かしたからといって、また何もしなくても、ニー以外の者になることができません。

わたしたちが罪人であるのは、自分自身のゆえにではなく、アダムのゆえにです。わたしが罪人であるのは、わたしが個人として罪を犯したからではなく、アダムが罪を犯した時に、わたしがアダムの中にいたからです。わたしの生まれがアダムから出たものであるため、わたしは彼の一部分なのです。わたしはこの事実を変えることができません。わたしの行為をよくしたからといって、アダム以外のものになることはできません。ですから、わたしは依然として罪人であるのです。

わたしが中国でこのように話して、「わたしたちはみなアダムにあって罪を犯しました」と言った時のことです。一人の人が「その意味がよくわかりません」と言ったので、わたしはこう説明しました、「すべての中国人は、黄帝を始祖とします。彼は四千年前に蚩尤と戦いました。蚩尤の兵隊は強かったのですが、黄帝は勝って、彼を殺しました。そうして彼は、中華民族の土台を据えたのです。さて、もし黄帝が敵を殺さず、逆に殺されていたらどうでしょうか？　今ごろあなたはどこにいるでしょうか？」。すると質問した人は、「わたしというものは存在しなかったでしょう」と答えました。わたしは言いました、「本当にそうですか？　黄帝が死んでも、あなたは生きることができたのではないでしょうか？」。彼は叫んで言いました、「そんなことはあり得ません。もし彼が死んでいたら、わたしは生きているはずがありません。……なぜなら、わたしは彼から命を受け継いでいるからです」。

あなたは、人類の命の一貫性がおわかりでしょうか？　わたしたちの命はアダムから始まりました。もしあなたの曾祖父《そうそふ》が三歳で死んだとすれば、あなたは存在し得るでしょうか？　あなたは彼にあって死んでいたはずです。あなたの経験は、彼のそれとつながっているのです。同様に、わたしたちすべての経験も、アダムのそれとつながっているのです。だれも、「わたしはエデンの園にいたことはない」と言うことはできません。なぜなら、アダムが蛇の言葉に負けた時に、わたしたちすべてもそこにいたのです。このようにわたしたちはみなアダムの罪の中に含まれているので、「アダムの中で」生まれることにより、彼から罪のあらゆる結果を受け継ぐのです。すなわち、罪人の性質であるアダムの性質を受け継ぐのです。わたしたちの存在は、アダムから出ています。彼の命と性質は罪深いものとなったので、わたしたちが彼から受け継ぐ性質もまた罪深いものとなります。したがって、すでに述べたように、問題はわたしたちの行為にあるのではなく、わたしたちの遺伝にあるのです。そのため、わたしたちの血統を変えることができなければ、わたしたちのための解放はあり得ないのです。

しかし、この方面においてこそ、問題の解決があるのです。しかも神は、まさにこのことを成就されたのです。

アダムの中でとキリストの中で

ローマ人への手紙第五章十二節から二一節において、わたしたちはアダムについてばかりでなく、主イエスについても学びます。「一人の人の不従順を通して、多くの人が罪人に構成されたように、一人の方の従順を通して、多くの人が義なるものに構成されます」。わたしたちは、アダムの中でアダムに属するすべてのものを受けるように、キリストの中でキリストに属するすべてのものを受けます。

「アダムの中で」と「キリストの中で」という言葉使いを、クリスチャンの多くはあいまいに考えています。そのためわたしはもう一度重ねて、「キリストの中で」という言葉にある、遺伝的な意味の重要性と種族の上での意味の重要性とを、例を用いて強調したいと思います。その例はヘブル人への手紙の中に見ることができます。この書の初めのほうで著者は、メルキゼデクがレビよりも偉大であることを証明しようとしています。著者の意図するところは、キリストの祭司職が、レビ族から出たアロンの祭司職よりも偉大であることを証明しようとするところにあることを、あなたがたは知っていると思います。ところで、それを証明するためには、メルキゼデクの祭司職がレビ族のものより偉大であることを証明しなければなりません。なぜなら、キリストの祭司職は「メルキゼデクの位による」（ヘブル七・十四―十七）ものであり、一方、アロンの祭司職はもちろんレビ族の位によるものです。ですから、もしメルキゼデクがレビより偉大であることを示すことができれば、問題を解決したことになります。これがここの中心点であり、しかも著者は卓越した方法でこのことを証明しています。

著者は第七章において、アブラハムが連合軍の王（創第十四章）との戦いの帰りに、メルキゼデクへ分捕り品の十分の一をささげたことと、彼から祝福を受けたことを告げています。アブラハムがこのようにしたので、レビはメルキゼデク以下の者であることがわかります。その理由は、アブラハムがメルキゼデクに「十分の一を与えた」ということは、イサクが「アブラハムの中で」メルキゼデクにささげ物をしたことになり、したがってレビも「アブラハムの中で」メルキゼデクにささげ物をしたことになります。「小さな者が大きな者によって祝福される」（ヘブル七・七）ことは明らかです。レビはメルキゼデクよりも小さな者であるので、アロンの祭司職は、主イエスの祭司職より小さいのです。諸王との戦いの時、レビはまだ生まれてさえいませんでした。しかし彼は、アブラハムという「父の腰の中に」いて、アブラハムを通してささげ物をしたのです（ヘブル七・九、十）。

これが「キリストの中で」という言葉の意味です。アブラハムは信仰の家族の長として、彼自身の中に全家族が含まれています。彼がメルキゼデクにささげ物をした時に、全家族は彼の中でメルキゼデクにささげ物をしたのです。彼らは一人一人が別々にささげ物をしたのではありません。なぜなら、彼らはアブラハムの中にいたからです。ですから、アブラハムがささげ物をした時、彼がささげ物をすることには、その子孫全部も含まれていたのです。

これによって、わたしたちの前には新しい可能性が提示されます。アダムの中で、すべての人が失われました。一人の人の不従順を通して、わたしたちすべてが罪人となったのです。彼によって罪が入り、また罪によって死が入りました。その時以来、罪は人を支配し、死に至らせるのです。しかし、ここにおいて、一筋の希望の光が投じられました。別の一人の方の従順を通して、わたしたちは義とされることができるのです。罪が満ちあふれたところには、恵みもますます満ちあふれました。それは、「罪が死の中で支配したように、恵みもまた義を通して支配し、わたしたちの主イエス・キリストを通して永遠の命に至るためです」(ローマ五・十九―二一)。わたしたちの絶望はアダムの中にあり、わたしたちの希望はキリストの中にあります。

神による解放の道

神はこのような方法を通して、わたしたちを罪からの実際の解放に導くよう意図しておられます。パウロがローマ人への手紙の第六章を書くに当たって、「わたしたちは罪の中にとどまるべきでしょうか」と質問を投げかけた時、彼はこのことを極めてはっきりとさせています。彼の全存在は、罪にとどまるべきかとの提案に反応して大声で言いました、「絶対に違います」。聖なる神が、罪に縛られた聖くない子らに満足されるでしょうか？「どうして、なおもその中に生きていることができるでしょうか」(ローマ六・一、二)。神はわたしたちのために十分な備えをしておられます。それは、わたしたちが罪の支配を受けないためです。

しかし、ここに問題があります。わたしたちは罪人として生まれました。それでは、どのようにしてこの罪深い遺伝を断ち切ることができるでしょうか？わたしたちはアダムにあって生まれたのですから、どのようにすればわたしたちはアダムから逃れることができるのでしょうか？わたしははっきりと言いますが、キリストの血は、わたしたちをアダムから移し出すことはできません。しかし、ただ一つの道があります。わたしたちは誕生によって存在するようになったのですから、死によって存在を断たなければなりません。わたしたちの罪の性質を取り除くためには、わたしたちの命を取り除かなければなりません。誕生によって罪の束縛が始まったように、死によって罪からの解放が得られるのです。これこそが、神が備えてくださった罪から解放される方法なのです。解放の秘訣は死です。ですから、聖書は、わたしたちは「罪に対して死んだ」（ローマ六・二）と言っています。

しかし、どのようにして死ぬことができるのでしょうか？　わたしたちの多くは、この罪深い命から逃れるために力を尽くしましたが、それがどんなにねばり強いものであるかを発見しただけでした。逃れる道はどこにあるのでしょうか？　それは、自分を殺そうとすることにあるのではなく、神がキリストの中ですでにわたしたちを対処しておられることを認識することにあります。このことは、使徒の次の言葉に要約されています、「それとも、キリスト・イエスの中へとバプテスマされたわたしたちはみな、彼の死の中へとバプテスマされたことを、あなたがたは知らないのですか？」（ローマ六・三）。

しかし、もし神が「キリスト・イエスの中で」わたしたちを対処されたとすれば、それが効果を持つには、わたしたちがキリスト・イエスの中にある必要があります。しかし、これは非常に大きな問題です。わたしたちはどのようにしてキリストの中に入ることができるのでしょうか？　しかし、ここでも神はわたしたちの助けとして来てくださいます。事実、キリストに「入る」方法はありません。しかし、もっと大切なことは、わたしたちがキリストの中に入ろうと努力する必要がないということです。なぜなら、わたしたちはすでにキリストの中にいるからです。わたしたちが自分自身でできないことを、神はわたしたちのためになしてくださいました。神がわたしたちをキリストの中に入れてくださったのです。ここでコリント人への第一の手紙第一章三〇節を引用しましょう。わたしは、これは全新約聖書の中で最もすばらしい節の一つであると思います。「あなたがたがキリスト・イエスの中にある」。それはどのようにして得られるのでしょうか？「あなたがたがキリスト・イエスの中にあるのは神によるのです」。神を賛美します。キリストの中に入ることは、わたしたちが考え出したり、努力したりするのではありません。どのようにして入るべきか、自分で計画する必要もありません。それは神が計画されたのであり、しかも神は、ただ計画されただけでなく、すでに成就してくださったのです。「あなたがたがキリスト・イエスの中にあるのは、神によるのです」。わたしたちはすでにキリストの中にあるのであって、入ろうとする必要はないのです。それは神のなされたことであり、すでに達成されたことです。

さて、もしこのことが事実であれば、ある事柄がそれに続きます。先ほど引用したヘブル人への手紙第七章の例証においてわたしたちは、「アブラハムの中で」すべてのイスラエル人が——したがって、まだ誕生していないレビも——メルキゼデクに十分の一のささげ物をしたことを、見ました。彼らは個別にささげ物をしたのではなく、アブラハムがささげ物をした時に、アブラハムの中で同時にささげ物をしたのです。したがってアブラハムのささげ物は、彼の子孫全部を含んでいたのです。これもまた、わたしたちが「キリストの中にある」ことの予表です。主イエスが十字架にかかられた時に、わたしたちすべては死にました——個々に死んだのではありません。なぜなら、わたしたちはその時まだ誕生していないからです。しかし、わたしたちはキリストの中にあるので、わたしたちは彼の中で死んだのです。「一人の方がすべての人のために死なれたからには、すべての人が死んだのです」（Ⅱコリント五・十四）。キリストが十字架につけられた時、わたしたちも十字架につけられたのです。

中国の農村で福音を伝える時、神の深い真理は、簡単な例証を用いなければ理解されません。このことに注意しながら、ある時わたしは小さな本を取り上げ、その中に一枚の紙切れを挟みました。そして、田舎に住んでいる人たちに言いました。「さて、よくご覧なさい。わたしは一枚の紙切れを持っています。それはこの本と全く別な紙です。この紙切れに対して特別な目的もなしに、わたしはこの紙切れを本の中に入れます。今、わたしはこの本を上海へ郵送します。わたしは別にこの紙切れを郵送するのではありませんが、この紙切れは本の間にあるので、一緒に上海へ郵送されます。ところで、紙はどこに行ったのでしょうか？　本だけ上海に行って紙はここに残っていることができるでしょうか？　できません。本の行く所に紙切れも行きます。もしこの本を川に落とせば、紙切れも川に落ちます。もし急いで川からその本を取り上げれば、この紙切れも取り戻すことができます。この本がどのような経験をしようと、この紙切れも本と同じ経験をたどるのです。なぜなら、その紙切れは『本の中にある』からです」。

「あなたがたがキリスト・イエスの中にあるのは、神によるのです」。主なる神ご自身が、わたしたちをキリストの中に入れられました。ですから、すべて神がキリストにあって行なわれたことは、キリストの中にあるすべての種族に対しても行なわれたのです。わたしたちとキリストの運命は同じです。すべてキリストが経験したことは、わたしたちも経験したのです。なぜなら、わたしたちがキリストの中にあるということは、彼の死と復活の両面においてわたしたちが彼と一つとされたことを意味するからです。キリストは十字架につけられました。わたしたちはどうでしょうか？　わたしたちは神に、十字架につけてくださいと求めなければならないのでしょうか？　その必要はありません。キリストが十字架につけられた時、わたしたちも共に十字架につけられたのです。そして、キリストが十字架につけられたのは過去の事実ですから、わたしたちが十字架につけられて死ぬことも、絶対に将来のことではありません。わたしはあなたがたに挑戦しますが、わたしたちが十字架につけられるのが将来の事であると記した所は、新約聖書の中からただの一節でも探し出すことはできません。それに関するギリシャ語の動詞の時制は、すべて永遠の過去時制になっています(参照、ローマ六・六、ガラテヤ二・二〇、五・二四、六・十四)。人は、自分の手で自分を十字架につけて殺すことはできません。このようにすることは不可能です。それと同様に、霊的な面においても、神はわたしたち自身が自分を十字架につけるようにとは要求しておられません。キリストが十字架につけられた時に、わたしたちも共に十字架につけられたのです。なぜなら、神はわたしたちをキリストの中に置かれたからです。わたしたちがキリストの中で死んだということは、単なる一つの教理であるだけではなく、一つの永遠の事実でもあるのです。

キリストの死と復活は、代表するものであり、また包括的なものである

主イエスは十字架上で死なれた時に、血を流し、ご自身の罪のない命をささげて、わたしたちの罪の贖いをなし、神の義と聖とを満足させました。ただ神の御子だけがこのような特権を持っており、いかなる人もこのみわざにあずかることはできません。聖書は、わたしたちがキリストと共に血を流したとは決して言っていません。神の御前における贖いのみわざは、キリストだけが行なわれたのであって、他のだれもそれに分を持つことはできませんでした。しかし、主が死なれたのは、単に血を流すためであっただけでなく、わたしたちが死ぬためでもあったのです。キリストはわたしたちを代表して死なれたのであって、

彼の死の中には、あなたもわたしも包括されているのです。

わたしたちはよく「代わりに死ぬ」とか「共に死ぬ」とかいう言葉を使って、キリストの死の二つの面を説明します。この「共に死ぬ」という言葉を用いるのは良いのですが、共に死ぬというこの事実がわたしたちの側から開始するかのように人を誤らせてしまうことがあります。すなわち、わたしがキリストと共に死ぬように試みる、となってしまいます。わたしは、この言葉が正しいことに同意はしますが、それは後ほど用いられるべきものです。主がご自分の死の中にわたしを含んでくださったという事実から始めるほうが、はるかによいのです。主のすべてを含む死が、キリストと共に死ぬ地位にわたしを置くのです。わたし自身がキリストと共に死ぬようにして、わたしをキリストの死の中に含ませる、というのではありません。神がキリストの中にわたしを包括させてくださったことが、重要なのです。それは神がなさったことです。こういうわけで、新約の中にある「キリストの中で」というこの言葉は、わたしにとっていつも尊いと感じられるのです。

主イエスの死はすべてを含みます。また主イエスの復活も、同じようにすべてを含みます。わたしたちはコリント人への第一の手紙第一章を見て、わたしたちが「キリスト・イエスの中にある」ことを見ました。次に、この意味をいっそう深く知るために、同じ書簡の終わりを見てみましょう。コリント人への第一の手紙第十五章四五節と四七節には、主イエスについて二つの注意すべき名称、あるいは称号が用いられています。それは「最後のアダム」と「第二の人」です。聖書はキリストを、「第二のアダム」ではなく、「最後のアダム」と述べています。またキリストを、「最後の人」ではなく、「第二の人」と述べています。この区別に十分な注意を払うべきです。なぜなら、これは大いなる価値を持つ真理を含んでいるからです。

キリストは「最後のアダム」として、全人類の総合計です。また「第二の人」として、新しい人類のかしらです。ここでわたしたちは、二つの結合を持ちます。すなわち、一つは彼の死と関係があるものであり、もう一つは彼の復活と関係のあるものです。第一に、「最後のアダム」としてのキリストが人類と「結合」されたことは、歴史的にはベツレヘムで始まり、十字架と墓をもって終わっています。そこでキリストは、アダムにあったものをすべてご自身の中に集め、それを裁きと死へ渡されました。第二に、「第二の人」としてのキリストとわたしたちとの「結合」は、復活で始まり、永遠において終わります。すなわち、それは永遠に終わらないのです。なぜなら、キリストは神の目的に反した第一の人を死によって対処し、それから、神の目的が十分に実現される新しい人類のかしらとして復活されたからです。

ですから、主イエスは十字架につけられた時、「最後のアダム」としてつけられたのです。第一のアダムの中にあったものがすべて、彼にあって集められ、除き去られたのです。わたしたちもそこに含まれていました。キリストは最後のアダムとして、古い種族を除き去られました。次に第二の人として、新しい種族をもたらすのです。キリストは復活の中で第二の人となっており、わたしたちもまたそこに含まれています。「もしわたしたちが、彼の死の様の中で彼と共に成長したなら、彼の復活の様の中にもあるのです」(ローマ六・五)。わたしたちは、最後のアダムであるキリストの中で死にました。わたしたちは、第二の人であるキリストの中で生きます。このように、十字架は神の大能であり、わたしたちをアダムからキリストへと移すのです。

第三章　前進する道――知ること

わたしたちの古い歴史は十字架で終わりを告げ、新しい歴史は復活において始まります。「ですから、だれでもキリストの中にあるなら、その人は新創造です。古いものは過ぎ去りました。見よ、それらは新しくなりました」（Ⅱコリント五・十七）。十字架は第一の創造を終結させます。そして死の中から、キリストにある新創造、すなわち第二の人がもたらされます。もしわたしたちが「アダムの中にある」のであれば、アダムにあるすべてのものが、必然的にわたしたちに伝えられます。これは自然にそうなってしまうのです。わたしたちは何もしなくても、それを獲得してしまうのです。腹を立てたり、何かの罪を犯したりする場合、別にそのように決心する必要はありません。自然にそのようになり、しかもわたしたちの意志に反してさえそのようになります。それと同様に、もしわたしたちが「キリストの中にある」なら、キリストにあるすべてのものが、神の無代価の恵みによってわたしたちのもとへやって来ます。わたしたちの側の努力は何も必要なく、ただ信仰がありさえすればよいのです。

しかし、わたしたちの必要とするすべてが、キリストにあって無代価の恵みによってわたしたちのもとへやって来ると言うことは、たとえそれが真実であったとしても、少し実際的でないように思われます。それはどのようにして実際となるのでしょうか？　それはどのようにしてわたしたちの経験の中で真実なものとなるのでしょうか？

ローマ人への手紙の第六章、第七章、第八章を学ぶと、正常なキリスト者の生活を送る条件が四つあることに気づきます。それは、(一)知ること、(二)認めること、(三)自分自身を神にささげること、(四)霊にしたがって歩くことです。そしてこれらは、このような順序に並べられています。もし正常なキリスト者の生活を送ろうとするなら、この四つの段階すべてを通らなければなりません。一つだけでもなく、二つだけでもなく、三つだけでもなく、四つすべてです。わたしたちはこれらを一つ一つを学んでいくにあたって、主がご自身の聖霊をもってわたしたちの理解力を照らしてくださるよう、わたしたちは主を仰ぎ望みます。今わたしたちは、主の助けを尋ね求めて、第一の大きな段階を見てみましょう。

わたしたちがキリストと共に死んだことは、一つの歴史的な事実である

ローマ人への手紙第六章一節から十一節を開いてみましょう。ここには、主イエスの死が代表するものであり、包括的なものであることが、明らかにされています。わたしたちは、キリストの死の中でみな死にました。これを知らずに、霊的な進歩を望むことはできません。キリストが十字架上でわたしたちの罪を負われたことを知らなければ、神の義認を得ることができないのと同様に、主が十字架上でわたしたち自身をも負われたことを知ることがなければ、聖別を持つことはできません。わたしたちの罪が主の上に置かれただけでなく、わたしたち自身も主の中に入れられたのです。

あなたはどのようにして罪の赦しを受けたのでしょうか？　あなたは、主イエスがあなたの身代わりとして死なれ、あなたの罪をご自身の上に負い、彼の血が流されてあなたの汚れを清めたことを、はっき

りと知りました。十字架においてあなたの罪がすべて取り除かれたことを知った時、あなたはどうしたでしょうか？　あなたは、「主イエスよ、どうかわたしの罪のために死んでください」と祈ったでしょうか？　そうではありません。あなたはそのようには祈りませんでした。あなたはただ主に感謝しただけです。あなたは主に、再び来て自分のために死んでくださるようにとは求めませんでした。なぜなら、主がすでにあなたのために死なれたことを、あなたは知っているからです。

罪の赦しについて言えることは、罪からの解放についても言えます。みわざはすでに完成されています。そのために祈る必要はありません。ただ賛美するだけでいいのです。神はわたしたちすべてをキリストの中に入れられたので、キリストが十字架につけられた時、わたしたちもまたそこにつけられたのです。ですから、「わたしは大変悪い人間です。主よ、どうかわたしを十字架につけてください」などと祈る必要はありません。そのようにすれば、大きな誤りを犯すことになります。あなたは自分の罪については祈りませんでした。それでは、なぜ今、自分自身について祈るのでしょうか？　あなたの罪はキリストの血によって対処され、あなた自身は彼の十字架によって対処されています。それはすでに達成された事実です。あなたのなすべきことはただ、キリストが死なれた時にあなたもまた死んだ、すなわち彼の中で死んだということを、賛美することだけです。あなたはこのことについて主を賛美し、その光の中で生きなさい。「そこで、彼らはみことばを信じ、主への賛美を歌った」(詩一〇六・十二)。

あなたはキリストの死を信じているでしょうか？　もちろん、信じています。しかし、その同じ聖書、すなわちキリストがわたしたちのために死なれたと述べているその聖書が、わたしたちは主と共に死んだとも述べているのです。もう一度見てください、「キリストがわたしたちのために死んでくださった」(ローマ五・八)。これは最初の記述であり、これだけでも明白です。しかし、まだはっきりしないなら、次の言葉を読んでください、「わたしたちの古い人が彼と共に十字架につけられた」(ローマ六・六)。「わたしたちがキリストと共に死んだ」(ローマ六・八)。

わたしたちは、いつキリストと共に十字架につけられるのでしょうか? それは明日でしょうか、昨日でしょうか、今日でしょうか? パウロの言葉を次のように少し変えてみればわかるでしょう、「キリストはわたしたちの古い人と共に(同時に)十字架につけられた」。あなたが友人とどこかへ行く時、「わたしの友人はわたしと一緒に行きます」と言うことができますし、同時に「わたしは友人と一緒に行きます」と言うこともできます。あなたがたのうちの一方が三日前に行ったのなら、このように言うことはできませんが、一緒であれば両方の言い方をすることができ、両方とも正しいのです。なぜなら、どちらの言い方も一つの事実を言っているからです。歴史的な事実についても、わたしたちは敬虔《けいけん》な心をもって、しかも同じ正確さをもって、「キリストが十字架につけられた時、わたしも十字架につけられた」と言うこともできるし、「わたしが十字架につけられた時、キリストも十字架につけられた」とも言えるのです。というのは、これは歴史上の二つの事ではなく、一つの事であるからです。わたしと彼は、共に十字架につけられ

1 ローマ人への手紙第六章六節の「彼と共に」という表現は、歴史上の意味以外に、教理上の意味もあります。歴史上の意味においてのみ、逆に言うことができます。

ました。キリストが十字架につけられたのなら、わたしはそれ以外の道を取ることはできません。もしキリストが約二千年前に十字架につけられ、しかもわたしが彼と共に十字架につけられたのなら、わたしは明日十字架につけられると言うことができるでしょうか？　キリストの死は過去で、わたしの死が現在や未来であり得るでしょうか？　主を賛美します。主が十字架上で死なれた時、わたしも彼と共に死にました。主はわたしに代わって死なれたばかりでなく、わたしを負って「共に」十字架についてくださったのです。ですから、主が死なれた時、わたしも死んだのです。もしわたしが主イエスの死を信じるなら、自分の死をも信じることができるはずです。それは、彼の死を信じるのと同じように確実なことです。

あなたはなぜ主イエスの死を信じるのでしょうか？　あなたの信仰の根拠は何でしょうか？　それは、彼が死んだと感じることでしょうか？　そうではありません。あなたはそのようには感じませんでした。あなたが信じたのは、神の御言葉がそのように告げているからです。主が十字架につけられた時、二人の強盗も同時に十字架につけられました。二人が主と共に十字架につけられたことを疑わないのは、聖書にはっきりと書いてあるからであって、他の理由によるのではありません。

あなたは主の死を信じ、また二人の強盗が主と共に死んだことを信じています。それでは、あなた自身の死についてはどうでしょうか？　あなたが主と共に十字架に釘《くぎ》づけられたことは、彼らのそれよりもっと身近なことです。二人の強盗は主と同時に十字架につけられましたが、それぞれ異なる十字架にかけられました。しかし、あなたは主と同じ十字架につけられたと言えます。なぜなら、主が死なれた時、あなたは彼の中にあったからです。どうしてこのことがわかるのでしょうか？　あなたがそのようにわかるのに、十分な理由があります。なぜなら、神がそのように言われたからです。感覚によるのではありません。キリストが死なれたことを感じようと感じまいと、主の死は事実です。これと同様に、あなた自身が死んだことを感じようと感じまいと、あなたもすでに確実に死んでいるのです。これは神聖な事実です。キリストが死んだことは事実であり、二人の強盗が死んだことも事実であり、あなたが死んだこともまた事実です。そうです、あなたはすでに死んでいるのです！　あなたはすでに除き去られているのです！　あなたはすでに廃棄されているのです！　あなたの忌み嫌う自己は、キリストの中で十字架にかけられているのです。「死んだ者は罪から解放されているからです」（ローマ六・七）。これがクリスチャンに対する福音です。

わたしたちが十字架につけられるということが効力を持つのは、意志や努力によるのではなく、主イエスが十字架上で行なわれたことを受け入れることによるのです。わたしたちの目は、主がカルバリで完成されたみわざに向かって開かれる必要があります。一部の人は、救いにあずかる前に、自分の力で自分を救おうと努力したことでしょう。そして聖書を読み、祈り、礼拝堂へ行き、献金したことでしょう。そのうちにある日、目が開かれ、十字架上で主がすでにあなたのために完全な救いを備えてくださったことに気づくのです。あなたがそれを受け入れ、神に感謝した時、平安と喜びが心にあふれました。そして、救いも聖別も全く同じ土台の上にあることを知ります。あなたは罪の赦しを受けるのと同じ方法で、罪からの解放を受けるのです。

神の救いの方法は、人の方法とは全く異なっています。人の方法は、罪に勝つことを求めて、それを抑えようとすることにあります。しかし、神の方法は、その罪人を取り除くことにあります。多くのキリスト者は自分の弱さを嘆き、もっと強ければ万事がうまくいくと思います。聖《きよ》い生活を送れないことは自分の弱さにあるのだから、自分に対してさらに多くの要求をします。このことは誤った観念です。もしわたしたちが罪の力と、それに打ち勝てない自分の無力さに心を奪われているなら、罪に打ち勝つためにはもっと大きな力を持たなければならないという結論に自然に達するでしょう。「もしわたしがもっと強くなれば、わたしはこの激しい気性に勝つことができるのだ」などと思い、主に対して、わたしたちを力づけ、もっと自分を自制することができるようにと求めたりします。

しかし、これは全く間違っている考えであって、これはキリスト教ではありません。神がわたしたちを罪から解き放される方法は、わたしたちをもっと強くすることによるのではなく、むしろ、わたしたちをもっと弱くすることにあります。これは、勝利を獲得するのには不思議な方法だと言われるかもしれませんが、それが神の定められた方法であるのです。神がわたしたちを罪の支配から解放するのは、わたしたちの古い人を強くすることによってではなく、それを十字架につけて死なせることによるのです。古い人が何かをするのを助けることによってではなく、古い人に何も行なわせないことによってです。

おそらくあなたは何年間も自分を制御しようと試みましたが、その結果は無駄でした。あるいは、それが今なおあなたの経験であるかもしれません。しかし、いったん真理を見るなら、あなたは、自分は無力で何もできないのですが、神があなたを完全に脇《わき》に置くことによって、すべてをなさってくださったということを認識するでしょう。このような啓示は、人の努力に終止符を打つものです。

第一段階：「わたしたちは次の事を知っています……」

正常なキリスト者の生活は、ある一定のことを明確に「知る」ことによって始められなければなりません。この「知る」ということは、真理について少しばかりを知るとか、重要な教理を多少理解するというようなことではありません。それは知性による知識ではなく、心の目が開かれて、わたしたちがキリストの中で持っているものすべてを見ることです。

あなたは、自分の罪が赦されたことをどのようにして知るのでしょうか？　伝道者がそう言ったからでしょうか？　そうではありません。あなたは、自分の罪が赦されていることを知っているのです。もしわたしがあなたに、「どのようにしてそれを知ったのですか？」と問えば、あなたは単に、「知っているから知っているのです」と答えるでしょう。このような知識は神の啓示によって与えられます。もちろん、罪の赦しの事実は聖書にありますが、その書かれた神の御言葉があなたにとって生きた神からの言葉となるためには、神は「知恵と啓示の霊をあなたがたに与え」（エペソ一・十七）なければならないのです。必要なのは、このような方法でキリストを知るということです。いつの場合もそうでなければなりません。このように、新しくキリストを理解する時がやって来ます。その時あなたは、心の中でそれを知り、霊の中でそれを「見る」のです。あなたの内なる存在に光が差し込む時、あなたは完全に信じるのです。罪から解き放されることと罪の赦しとは、原則において完全に同じです。神の光があなたの心を照らす時、あなたは自分がキリストの中にあることを見ます。もはやそれは、だれかがあなたにそう語ったからでもなく、また単にローマ人への手紙第六章がそのように述べているからでもありません。そうではなく、それ以上のものです。あなたが自分はキリストの中にあることを知るのは、神がご自身の霊を通してそのことをあなたに啓示してくださったからです。あなたはこのことに対して何の感覚もないかもしれません。またそのことを理解していないかもしれません。しかし、あなたは知っているのです。なぜなら、あなたはすでにそれを見たからです。ひとたび、あなたが自分自身はキリストの中にあることを見れば、その祝福された事実に対するあなたの確信を揺るがすことのできるものは何もありません。

もしあなたが、正常なキリスト者の生活に入っている幾人かの人に、どのようにしてその経験に到達したのかと聞けば、ある者はこう言い、またある者は別のことを言うでしょう。各自が自分の特別な方法を強調し、かつその体験を聖書的な裏づけをもって支持するでしょう。不幸なことに、多くのキリスト者は、自分たちの特別な経験と特別な御言葉を用いて、他のキリスト者を攻撃するのです。事実、キリスト者はさまざまな方法によってより深い命の中へと入るのですが、わたしたちは、他の人の強調する経験や真理が互いを排斥するものと考える必要はなく、むしろ補完的なものであると考えるべきです。しかし、一つのことは確実です。それは、神の目から見て価値ある真の経験は、主イエスのみわざとパースンに新しい意義を発見することによって、得られなければならないということです。これこそ決定的な、しかも安全な試金石です。

わたしたちが読んだ御言葉においても、パウロは、すべてのことをこのような発見に立脚するようにしています。「わたしたちは次のことを知っています。わたしたちの古い人が彼と共に十字架につけられたのは、罪の体が無効にされて、わたしたちがもはや、奴隷として罪に仕えることがないためです」(ローマ六・六)。

知識に対する神の啓示の重要性

わたしたちの第一歩は、啓示によって与えられる知識を神に求めることです。啓示とは、すなわちわたしたち自身についての啓示ではなく、十字架上で完成された主イエスの働きに関する啓示です。ハドソン・テーラー(中国内地会の創立者)が正常なキリスト者の生活に入った時は、まさにそのようでした。彼はどのようにすれば「キリストにある」生活が送れるか、どのようにすればぶどうの木から樹液を自分自身の中に吸い取ることができるかが、長い間の問題でしたと語っています。彼は、キリストの命が彼を通してあふれ出なければならないことを知っていたのですが、今なおそれを獲得していないように感じていました。彼は、自分の必要がキリストの中に見いだされなければならないことを、はっきりと見ていました。一八六九年に、彼は鎮江から妹へこう書き送っています、「わたしはキリストの中に住むことさえできればすべて良いのですが、そうすることができないのです」。

彼は、入ろうとすればするほど、自分が離れて行くのを見いだしました。しかし、ついにある日、光が照り輝き、啓示がやって来て、彼は見たのです。彼は次のように述べています。

「ここに秘訣があるとわたしは感じます。それは、どのようにしてわたしが『ぶどうの木』から自分自身の中へとぶどうの樹液を取り入れるかと求めることではなく、イエスがぶどうの木であること、すなわち彼が根であり、幹であり、枝であり、小枝であり、葉であり、花であり、実であり、すべてであるということを、覚えることです」。

彼はまた、自分を助けてくれた友人への手紙に次のように記しています。「わたしが自分自身を枝にしなければならないのではありません。主イエスは、わたしが枝であると言われました。わたしはイエスの一部であり、それを信じて、そのように行動しさえすればよいのです。長いことわたしは、このことを聖書で読んできました。しかし今わたしは、それが生きた実際であると信じています」。

今までもずっと真実であったものが、今や突然、彼個人に対して、新しい道の中で真実な経験となったのです。彼は再び妹に次のように書き送っています。

「わたしはどのようにして説明したらいいかわかりません。なぜかというと、別に新しい事も、変わった事も、すばらしい事もないのですから。しかし、それにもかかわらず、すべてのものが新しいのです。一言で言えば、『かつてわたしは盲目だったが、今は見える』ということです。……わたしは死んでキリストと共に葬られ、そして彼と共に復活し、昇天したのです。……神はそのようにわたしを見ておられ、わたしも自分をそのように見るようにと、神はわたしに告げられます。神が最もよくご存じです。……ああ、この真理を見ることは、何という喜びでしょう！　あなたの理解の目が照らされ、わたしたちがキリストにあって価なしに得ることのできる豊富をあなたが知り、また享受することができるようにと、わたしは祈ります」。

わたしたちがキリストにあるということを見るのは、実にすばらしいことです。すでにあなたが入っている部屋に入ろうと困惑している様を、考えてみてください！　すでに入っている部屋に入れてくださいと願うことは、実に愚かなことではないでしょうか？　すでに入っているということを認識すれば、入ろうとするような努力はしません。啓示が豊かになればなるほど、わたしたちの嘆願の祈りは少なくなり、代わりに神への賛美が増えてきます。自分自身に対するわたしたちの祈りの多くは、神がすでになさったことをわたしたちがまだ見ていないからなのです。

わたしは覚えていますが、ある日わたしは上海で、霊的状態に非常に悩んでいた兄弟と話していました。彼はこう言うのです、「多くのキリスト者は実に美しく、聖徒らしい生活を営んでいます。わたしは自分のことを恥じています。わたしは自分のことをキリスト者とは言いますが、他の兄弟と比較すれば、自分は全くキリスト者ではないと感じます。わたしはこの十字架につけられた命と復活の命を知りたいのですが、今に至るまでも認識していませんし、またどのように認識したらよいのかもわかりません」。その時もう一人の兄弟が一緒にいたので、わたしたち二人は二時間ばかりの間、キリストから離れては何も得られないことを彼に見させようとしたのですが、成功しませんでした。彼は、「人にできる最上のことは、祈ることですね」と言いました。わたしたちは彼に問うて言いました、「神がすでにわたしたちの必要とするものをすべて与えておられるとすれば、あなたは何を祈り求める必要があるでしょうか？」。すると彼は答えて言いました、「神は必要なものをわたしに与えてくださってはおりません。なぜなら、わたしは依然としてかんしゃくを起こすし、いつも失敗しているからです。ですから、わたしはもっと多く祈らなければならないのです」。わたしたちは言いました、「それでは、あなたの祈りは答えられていますか?」。彼は答えて言いました、「残念ながら何一つ答えられていません」。わたしたちは、彼が義とされるためには何一つ努力を必要としなかったように、聖別されるのにも何の努力もいらないということを、指摘しようと試みました。

ちょうどその時、主に重く用いられていた別の兄弟がやって来ました。たまたまテーブルの上に魔法瓶があったので、彼はそれを取り上げて、「これは何ですか」と尋ねました。「魔法瓶です」。「それでは、この魔法瓶が祈れるものと仮定してみて、このように祈り始めると仮定してみます、『主よ、わたしは心から魔法瓶になりたいと願っています。どうかわたしを魔法瓶にしてください。主よ、わたしが魔法瓶になれるように恵みを与えてください。どうかこの願いをかなえてください』。このように祈ったとすれば、どうでしょうか?」。「いくら魔法瓶といっても、そんな愚かなことはないと思います。そんなふうに祈るのは、全くおかしなことです。なぜなら、それは魔法瓶なのですから!」。すると、その兄弟は言いました、「あなたも同じことをしておられるのです。神はすでにあなたをキリストの中に含めておられます。主が死なれた時、あなたも死んだのです。そして主が死から復活された時に、あなたも復活したのです。だから、あなたは今になって、『わたしは死にたい。わたしは十字架につけられたい。わたしは復活の命を得たい』とは言えないのです。主は言われます、『あなたはすでに死んでいます！　あなたはすでに新しい命を持っています！』。あなたの祈りは、あの魔法瓶のような愚かなものです。何かを与えてくださいと、主に祈る必要はありません。あなたはただ目を開いて、主がわたしたちのためにすでになさってくださったすべてのことを見れば、それでいいのです」。

かぎはここにあります。わたしたちは、死ぬための努力をする必要は一つもありません。また、死ぬのを待つ必要もありません。わたしたちはすでに死んでいるのです。わたしたちは、主がすでになさったことを認識し、そのことで主を賛美すればよいのです。その兄弟の上に、天からの光が差し込んで来ました。彼は涙を流して言いました、「主よ、あなたがわたしをすでにキリストの中に含めてくださったことを賛美します。キリストのものは、すべてわたしのものです！」。彼は啓示を得、信仰によって把握しました。その兄弟には、その後すばらしい生活の変化がおとずれました。

十字架はわたしたちの問題の根本に触れる

主が十字架の上で完成されたみわざの基本的な性質を、ここでもう一度考えてみたいと思います。この点は、どんなに強調しても強調しすぎることはありません。なぜなら、わたしたちはこのことを本当に把握しなければならないからです。

一つの例証として、政府がもし徹底的な禁酒運動を行なおうとすれば、どのような手段を取ればよいのでしょうか？　わたしたちは、そのためにどのようなことをすればよいのでしょうか？　国中の酒類販売所へ行き、酒やビールやブランデーなどの瓶を一つ残らず壊してしまえば、それで問題は解決するでしょうか？　もちろんそうはいきません。アルコール類を一滴残らず国から追放することはできるでしょうが、その背後に醸造工場があればどうでしょうか？　瓶だけ対処しても工場をそのままにしておけば、酒類の生産は継続し、恒久的な解決は望めないのです。飲酒問題を恒久的に解決しようと思えば、国中の醸造工場、蒸溜装置などが取り除かれなければなりません。

わたしたちは、その工場であると言えるでしょう。わたしたちの行為は、その生産物です。主イエスの血は、生産物、すなわちわたしたちの罪の問題を対処しました。ですから、わたしたちがすでに行なったことの問題は、これで解決するのです。しかし、神はその点で終わりとされるでしょうか？　わたしたち自身の存在についてはどうでしょうか？　罪はわたしたちによって生じました。それらの罪はすでに対処されましたが、わたしたち自身はどのようにして対処されるべきでしょうか？　主はわたしたちのすべての罪を清めてくださるが、罪の製造工場の対処はわたしたち自身に任せられると、あなたは信じるのでしょうか？　単に生産物を対処しただけで、生産物の源泉の対処をわたしたち自身に任せられるのでしょうか？

このように問うことによって、この問題に正しく答えることができます。もちろん神は、仕事の半分だけをして、後の半分をわたしたちに任せられるのではありません。主は生産物を取り除き、またそれを製造する工場をも除き去られたのです。

キリストの完成されたみわざは、真にわたしたちの問題の根本に触れています。そしてそれを対処しているのです。神には中途半端なみわざはありません。パウロはこう記しています、「わたしたちは次のことを知っています。わたしたちの古い人が彼と共に十字架につけられたのは、罪の体が無効にされて、わたしたちがもはや、奴隷として罪に仕えることがないためです」（ローマ六・六）。「次のことを知っています！」。しかし、あなたは知っているでしょうか？　「それとも、……あなたがたは知らないのですか？」（ローマ六・三）。どうか主が恵みをもってわたしたちの目を開いてくださいますように。

第四章　前進する道――認めること

さてここでわたしたちは、主の子たちの間で困惑を起こす事柄に直面することになります。それは、知ることに続くことに関してです。まず始めに、再びローマ人への手紙第六章六節を振り返ってみましょう、「わたしたちは次のことを知っています。わたしたちの古い人が彼と共に十字架につけられたのは」。この御言葉の動詞の時制は、とても貴重です。なぜなら、その出来事を過去のこととしているからです。それは、最終的なことであって、一度で永遠のことです。それはすでに成し遂げられたことであって、取り消されることはできません。わたしたちの古い人は、一度で永遠に十字架につけられたのであり、再びつけられることは不可能です。このことをはっきりと知る必要があります。

このことを知った後に、何が続くのでしょうか？　もう一度、聖書の言葉に戻ってみましょう。次の命令は十一節にあります、「ですから、……あなたがたも、自分は罪に対して死んでいる……ことを認めなさい」。この御言葉は、明らかに六節の次に来るのが自然の順序です。古い人がキリストと共に十字架につけられたことを知った次に、その事実を認めることが伴うのです。

残念なことに、キリストとの結合の真理を語る時に、自分自身が死んだと認める第二の段階を強調しすぎる場合がはなはだ多いので、あたかもそれが出発点であるかのようになってしまいます。しかし、実は、自分自身が死んでいると知ることに強調点が置かれるべきです。神の御言葉ははっきりと述べていますが、

「知っています」は「認めなさい」の前にあります。「知っています……認めなさい」。この順序は重要です。わたしたちの認めることとは、知ることに必ず根拠を置かなければなりません。この知ることとは、神の啓示された事実から得られるものです。これがなければ、信仰はその土台がなくなってしまいます。わたしたちは知る時に、自然に認めるのです。

ですから、認めるということだけを取り上げて強調しすぎることは、慎しむべきことです。いつでも人々は、知ることをしないで、認めようとします。聖霊によってこの事実を啓示されることなしに、いきなり何かを認めようとするので、いろいろな困難にぶつかります。また、誘惑が襲いかかってくる時、「わたしは死んでいる、わたしは死んでいる、わたしは死んでいる！」と懸命に認めようとします。しかし、このように認めようとする時に、彼らは短気を起こしてしまうのです。そして、「ローマ人への手紙第六章十一節は、わたしにとって益がない」と言います。わたしたちは、この十一節は、六節を抜きにしては益がないということを認めなければなりません。ですから、わたしたちは、キリストと共に死んでいるという事実を知らなければ、死んでいることを認めようとすればするほど、争いは激しくなり、その結果、確実な敗北を招くのです。

わたしは主を信じた後、数年間、自分が死んでいることを認めるようにと教えられてきました。わたしは一九二〇年から一九二七年まで認め続けました。しかし、自分が罪に対して死んでいることを認めようとすればするほど、自分がますます生きていることを知ったのです。どうしても自分が死んでいるとは信じられず、またその死を自分のものとすることができませんでした。ほかの人から助けを得ようとすると、いつもローマ人への手紙第六章十一節を読むようにと言われ、そしてその御言葉を読んで認めようとすればするほど、死は遠ざかってしまいました。わたしは死を得ることができませんでした。自分は死んでいることを認めなければならないという教えはすばらしいと思うのですが、なぜそこから何の結果も得られないのか、わたしは理解することができませんでした。実を言うと、わたしは、この問題について何か月も悩んだことを告白しなければなりません。わたしは主に言いました、「もしこのことがはっきりせず、またこの根本的なことを見ることができなければ、わたしはこれ以上何もしないことにします。わたしは伝道をやめます。わたしはもう出て行ってあなたに奉仕することもしません。わたしはまずこのことを徹底的にはっきりさせたいのです」。何か月もわたしは求め続け、時には断食もしたのですが、何も得るところがありませんでした。

わたしはある朝のことを覚えています。それはわたしが一生忘れることのできない朝でした。わたしは二階で机の前に座り、御言葉を読み、また祈っていました。その時わたしは、「主よ、わたしの目を開いてください！」と言いました。その瞬間に、わたしは見たのです。わたしは、わたしとキリストとの一を見ました。わたしは、わたしがキリストの中にあり、彼が死なれた時にわたしも死んだことを見ました。わたしは、わたしの死が過去のことであり、将来のことではないこと、わたしの死は彼の死と同じように真実であることを見ました。なぜなら、彼が死んだ時に、わたしは彼の中にいたからです。あらゆることが、わたしに開かれました。この発見のゆえに、わたしは喜んでいすから跳び上がり、「主を賛美します。わたしは死んでいます！」と叫びました。そして階下へ走り降り、台所で手伝っている兄弟の一人に出会うやいなや、彼をつかんで言いました、「兄弟よ、あなたは、わたしがすでに死んでいることを知っていますか？」。すると彼は面食らったような顔をして、「それはどういう意味ですか？」と言いました。わたしは続けて言いました、「あなたはキリストが死なれたことを知っていますか？　また、わたしが主と共に死んだことを知っていますか？　そして、わたしの死が彼の死と同様に真実なものであることを、あなたは知っていますか？」。ああ、それはわたしにとって本当に真実でした！　上海中に、この大発見を叫んで回りたいような衝動にかられたほどでした。その日以来、今日に至るまで、「わたしはキリストと共に十字架につけられました」（ガラテヤ二・二〇）という御言葉の絶対性を、わたしはただの一瞬も疑ったことがありません。

わたしは、このことを生かし出さなくてもよい、共に死ぬ経験を見るだけでよいと言っているのではありません。しかし、ローマ人への手紙第六章六節を見ることが、共に死ぬ経験の最初の土台なのです。そうです、わたしはすでに十字架につけられています。このことは、すでに達成された事実です。

それでは、この死んだことを認めるための秘訣は、どこにあるのでしょうか？　一言で言えば、それは啓示です。わたしたちは、神ご自身からの啓示を必要とします（マタイ十六・十七、エペソ一・十七、十八）。わたしたちは、キリストとの結合という事実に対して、目を開かれる必要があります。このことは、教理として知ること以上のものです。このような啓示は、漠然とした不明瞭《ふめいりょう》な事柄ではありません。わたしたちのほとんどは、キリストがわたしたちのために死なれたという事実をはっきりと知った日を覚えています。しかしそれと等しく、わたしたちがキリストと共に死んだということを知った時についても、はっきりしていなければなりません。それはぼんやりとしたものではなく、明確な事実であるべきです。なぜなら、このことを土台にして、わたしたちは前進していくからです。わたしは、自分が死んでいると認めるから、死ぬのではありません。わたしが死んでいるので――神がキリストにあってわたしになされたことを、今やわたしは見ているので――それゆえわたしは自分が死んでいると認めるのです。これが、認めるということの正しいあり方です。認めることを出発点として死に向かうのではなく、死を出発点として認めるのです。

第二段階：認めること

認めるとはどのような意味を持っているでしょうか？「認める」のギリシャ語の意味は、記帳することです。会計は、およそ地上でわたしたち人が正確にすることのできる唯一の事です。画家が風景画を描く時、その風景と全く同じものを描くことができるでしょうか？歴史家は、過去のあらゆる記録を絶対に真実であると保証することができるでしょうか？あるいは地図の製作者は、どのような地図も絶対に間違いないものであると保証することができるでしょうか？せいぜい彼らは、大体本物に近いものしか作れないのです。また、日常の会話でさえ、ある事柄をできるだけ正直に、また真実に話そうとしても、やはり完全な正確さをもっては描写することはできません。ほとんどの場合、誇張したり、事実以下であったり、一つの言葉が強すぎたり、また弱すぎたりするものです。それでは、確実に信頼できるものとは、どのようなものでしょうか？それは数字です。そこには間違いの起こる余地がありません。一脚のいすに一脚のいすを足すと、二脚になります。これはロンドンでもケープタウンでも同じです。東に旅行してニューヨークに行こうが、西に旅行してシンガポールに行こうが、それは同じです。世界中どこでも、またいつでも、一プラス一は二です。天でも地でも地獄でも、一プラス一は二です。

神はなぜわたしたちに、わたしたちが死んでいるものと認めるように言われたのでしょうか？　それは、わたしたちが死んでいるからです。会計を例証にして見てみましょう。もしわたしがポケットに十五シリング持っていたとするなら、わたしは出納簿に、十四シリング六ペンスとか、十五シリング六ペンスとか記入することができるでしょうか？　できません。実際持っている額を出納簿に書き入れなければなりません。会計は事実を認めることであって、決して空想ではありません。それと同様に、わたしが事実死んでいるので、神はわたしにそのように認めるようにと告げられるのです。神は、真実でない事をわたしの出納簿に記入するようにとは言われません。もしわたしが依然として生きているのであれば、神は、死んでいることを認めるようにとわたしに言われるはずがありません。もしそうであるなら、それは認めることではなく、むしろ「誤認」と言うべきでしょう。

「認めること」は、虚偽の形式ではありません。それは、ポケットに十二シリングしか持っていないのに、帳簿に十五シリングと記入することにより、その不足を補うと考えることではありません。そのようにすることは無理です。十二シリングしかないのに、「わたしは十五シリング持っている。わたしは十五シリング持っている」と自分自身に言い聞かせれば、ポケットにあるお金の金額が変わってくると、あなたは考えるでしょうか？　そのようなことは絶対にありません。認めることによって、十二シリングが十五シリングになることはなく、あるいは真実でないことが真実になるのでもありません。しかし、もし事実ポケットに十五シリング入っていれば、非常に簡単に、しかも絶対の確信を持って、わたしは帳簿に十五シリングと記帳することができます。神は、わたしたちが死んでいることを認めるようにと言われます。それは、そのように認めることによってわたしたちが死ぬためではなく、わたしたちが死んでいるからです。神は、事実でないことを事実として認めるようにと言われるのではありません。

啓示は自然にわたしたちを認めることへと導くと言いました。わたしたちは、「あなたがたも……認めなさい」（ローマ六・十一）という命令が提示されている事実を見失ってはなりません。ここに、わたしたちの取るべき明確な態度が示されています。神は、帳簿にはっきりと書くように言われています。すなわち、「わたしは死んだ」と記入すること、またそのことを持ち続けるようにと、命じておられます。なぜでしょうか？　なぜなら、それは事実であるからです。主イエスが十字架につけられた時、わたしもそこにいました。なぜなら、わたしは彼の中にいるからです。それゆえ、わたしはそれを事実として認めます。わたしは主にあって死んだことを認め、かつ宣言します。パウロは言いました、「ですから、……あなたがたも、自分は罪に対して死んでいるが、神に対しては生きていることを認めなさい」。このようなことがどうして可能なのでしょうか？　それは、「キリスト・イエスの中で」です。それは常にキリストの中でのみ可能であるということを、決して忘れてはなりません。もし自分を見つめるのであれば、あなたは自分にはまだ死がないと考えるでしょう。しかし、これは信仰の問題であり、あなた自身を信じることではなく、キリストを信じることです。あなたは主を見るなら、主のなさったみわざを知ります。「主よ、わたしはあなたを信じます。わたしは、あなたにある事実に信頼します」。わたしたちは一日中このことを堅く保つべきです。

信仰によって認めること

ローマ人への手紙の最初の四章半は、再三、信仰について語っています。わたしたちは主を信じる信仰によって義とされています(ローマ三・二八、五・一)。義、罪の赦し、神との平和は、すべて信仰によってわたしたちのものとなります。イエス・キリストの完成されたみわざを信じなければ、だれもそれらのものを所有することはできません。しかし、ローマ人への手紙の後半では、信仰が繰り返し強調されることはありません。そのため、別の点に強調点が置かれているように感じられるのですが、実はそうではありません。なぜなら、「信仰」とか「信じる」とかいう言葉に代わって、「認める」という言葉が用いられているからです。認めることも信じることも、ここでは実際上は同じことです。

信仰とは何でしょうか？　信仰とは、神の事実を受けることであり、いつも過去にその基礎を置いています。将来と関係のある事柄は、望みであって、信仰ではありません。しかしながら、ヘブル人への手紙第十一章にあるように、信仰にはその将来の目的があります。このゆえに、ここでは「認める」という言葉が選ばれているのでしょう。それは過去だけに関係のある言葉です。それは、すでに解決された事柄としてわたしたちが振り返るべきものであって、まだ起こっていない事柄を望むことではありません。この種の信仰は、マルコによる福音書第十一章二四節に記されています、「あなたがたが祈って求めるものはすべて、受けたと信じなさい。そうすれば、そのとおりになる」。そこでは、もしわたしたちが祈り求めたものを受けたと信じるなら(もちろんキリストの中でです)、「そのとおりになる」というのです。ここでの信仰は、「受けるかもしれない」とか、「受けることができる」とか、「受けるであろう」とかいうものではありません。ここでの信仰は、すでに受けたと信じることです。過去と関係のあるもののみが、ここで取り上げている信仰です。「神はできる」とか、「神はなさるかもしれない」とか、「神はしなければならない」とか、「神はなさるだろう」などと言う者は、信仰を持っているとは言えません。信仰は常に、「神はすでになさった」と言います。

それでは、わたしが十字架につけられたことに関しては、わたしはいつ信仰を持つのでしょうか? それはわたしが、神はわたしを十字架につけることができるとか、そうされるだろうとか、必ずそうしなければならないとか言う時ではなく、わたしが喜びをもって、「神を賛美します。わたしはすでにキリストの中で十字架につけられています!」と言う時です。

ローマ人への手紙第三章において、主イエスがわたしたちの罪を負い、わたしたちの身代わりとして死なれ、わたしたちに罪の赦しを得させてくださったことを、見ます。ローマ人への手紙第六章においては、わたしたち自身がその死の中に含まれており、この死を通して彼がわたしたちを救い出してくださったことを、見ます。聖霊が第一の事実をわたしたちに啓示してくださる時、わたしたちは彼を信じて、義とされました。その後、神はわたしたちに、第二の事実に信頼して、救い出されるようにと告げられます。こういうわけで、実際上の目的から、ローマ人への手紙の後半の「認める」が、前半の「信仰」に取って代わっているのです。その強調点は異なりません。正常なキリスト者の生活は、第一歩を踏み出した時と同じように、神聖な事実を信じる信仰によって、継続して進歩していきます。この神聖な事実とは、キリストの中にあることと、彼の十字架です。

試みと失敗は信仰に対するテストである

歴史上、わたしたちにとって最も大切な二つの事実とは、次のことです。すなわち、わたしたちのすべての罪はキリストの血によって対処されていること、そしてわたしたち自身は十字架によって対処されているということです。しかし、試みの問題についてはどうでしょう。先の二つの事実を知り、かつ信じた後も、なお古い欲望が生じてくるのを発見する時、わたしたちはどうすればよいのでしょうか？　それどころか、もしわたしたちがもう一度今までの罪に陥ったらどうでしょうか？　短気を起こしたり、あるいはそれ以上に悪いことをしたとすれば、どうでしょうか？　先の二つの事実は、結局、偽りであったということになるのでしょうか？

ここで、ぜひ記憶にとどめていただきたいことがあります。それは、サタンは神による事実を疑わせようとすることを、その最も大きな目的の一つとしているということです（参照、創三・四）。わたしたちは神の霊の啓示によって、わたしたちが確かにキリストと共に死んでいることを知り、またそれを認めた後で、サタンがやって来て、「おまえにはまだ内側で動いているものがある。それはどうなのか？　これでも死んだというのか」と言います。このような時、わたしたちは何と答えればよいのでしょうか？　これは、一つの重要なテストです。あなたは、はっきりと目に映る自然界の物事を信じようとしているのでしょうか？　それとも、目に見えず、また科学的にも証明されない霊的領域にある、触れることのできない事実を信じようとしているのでしょうか？

ここで注意しなければならないことがあります。神の御言葉の中で、何が信仰によって把握すべき事実であり、何がそうでないと記されているかを、再び思い起こすことが重要です。神は罪からの解放について、どのように記しておられるでしょうか？　まず第一に、わたしたちの内にある罪は、根絶されたり、取り除かれているとは、神は一度もわたしたちに告げていません。このように認めることは、すべてを計算違いにし、以前わたしたちが述べたように、ポケットの十二シリングを十五シリングと帳簿に記入するような誤った立場に自分を置くことになります。単数形の罪は、根絶されてはいません。それははっきりと存在し、機会に乗じてわたしを打ち負かし、意識的にせよ無意識的にせよ、繰り返し罪を犯させるのです。ですから、わたしたちは尊い血の働きを常に知る必要があります。

わたしたちは知っていますが、神は直接的な方法を用いて、わたしたちが犯した罪を対処し、血のゆえに彼はそれらの罪を記憶から消し去ってしまいます。しかし、わたしたちの内側の罪とその力からの解放については、神の用いる方法は間接的であることを、わたしたちは見いだします。神は罪の性質を除き去るのではなく、罪人を除き去るのです。わたしたちの古い人は、すでに主と共に十字架につけられ、そのため今まで罪の道具であった体は、失業してしまいました（ローマ六・六、原文）。古い主人である罪の性質はまだあるのですが、それに仕えていた奴隷は死に渡されたため、もはやわたしたちの体を支配する方法がないのです。不敬虔《ふけいけん》な言葉を吐く舌、ばくち打ちの手は、失業し、これらの肢体は代わりに「義の武器」（ローマ六・十三）として用いられるのです。

ですから、わたしたちは、「単数の罪からの解放」は、「罪に対する勝利」よりもいっそう聖書的な思想であると言うことができます。ローマ人への手紙第六章七節と十一節の「罪から解放されている」と「罪に対して死んでいる」という表現が意味するのは、今もなお存在している、非常に実際的な力からの解放です。罪は今なお存在しますが、わたしたちは罪の力からの解放を、日々一層深い意味で知るのです。

この解放はとても真実であるので、ヨハネは次のように大胆に言っています、「すべて神から生まれた者は、罪を犯しません……彼は罪を犯すことができません」（Iヨハネ三・九）。しかし、これは一歩誤れば、わたしたちをとんでもない方向へ導きます。この御言葉によって、ヨハネは、罪はもうわたしたちの個人の歴史の中にないのだから、わたしたちは再び罪を犯すことがないと言っているのではありません。ヨハネは、罪を犯すことは、神から生まれた者の性質には属さないと言っているのです。キリストの命はすでにわたしたちに植え付けられ、その性質は罪を犯さないものです。しかし、一つの事柄の性質と、それの歴史とは、ずいぶん大きな違いがあるものです。わたしたちの内にある命の性質と、わたしたちの歴史にも、ずいぶん大きな違いがあります。わたしは一つの例証を挙げてこのことを説明しましょう（しかしながら、これは十分には説明しきれません）。わたしたちは、木は沈むことができないと言うことができます。なぜなら、木は水に沈む性質を持っていないからです。しかし、もしその木を手で水の中へと押さえつけるなら、沈むという歴史が発生します。その歴史は一つの事実です。それは、わたしたちが罪を犯すということが、わたしたちの歴史において一つの事実であるのと同じです。しかし、その性質もまた事実です。同様に、わたしたちがキリストの中で得た新しい性質もまた事実です。ですから、すべてキリストの中にある者は、罪を犯すことができません。アダムの中にある者は、サタンにその力を用いる機会が与えられると、罪を犯すことができるし、またそうするのです。

ですから、わたしたちの問題は、わたしたちがどちらの事実を選択して、それに頼り、それによって生きるかということです。わたしたちが、日々の経験という触れることのできる事実を選択するのか、あるいはわたしたちが今はキリストの中にあるというもっと強力な事実を選択するのか、ということです。主の復活の力はわたしたちの側にあり、神の大能の力はわたしたちの救いのために働いています(ローマ一・十六)。しかし、問題はやはり、わたしたちが神の事実を、わたしたちの歴史の実際とすることにかかっています。

「さて信仰とは、望んでいる事柄を実体化することであり、見ていない事柄を確認することです」(ヘブル十一・一)。また、「見えないものは永遠である」(Ⅱコリント四・十八)。ヘブル人への手紙第十一章一節が、新約の中の、あるいは聖書全体の中にある信仰の唯一の定義であることは、どなたもご存じであると思います。この定義を真に理解することは重要です。ギリシャ語では、この言葉は、一種の状況を言っているだけでなく、一つの動作をも言っています。実は、わたし個人も数年間この言葉の正確な訳を求めて時間を費やしたのですが、聖書の英語の翻訳の中では、J・N・ダービーの訳が特に良いです。彼はこれを次のように訳しています、「信仰とは、望んでいる事柄の実体化であり」。この方がずっと良いです。なぜなら、望んでいる事柄を経験にするという動作を含んでいるからです。

わたしたちは、どのようにしてある事柄を「実体化する」のでしょうか？　実は、わたしたちは毎日このことを経験しています。これをせずにこの世の中に生きることは不可能です。「実体」と「実体化する」の区別がおわかりでしょうか？　実体とは、何かのもの、何かわたしの前にあるものです。実体化するということは、わたしがある力あるいは機能をもって、その実体をわたしにとって真実のものにするということです。簡単な例を取れば、わたしたちは五官を通して、自然界にあるものをわたしたちの意識の中に移して、それらを正しく評価することができるようにします。例えば、視覚や聴覚は、この世の光や音をわたしたちのために実体化する二つの機能です。赤、黄、緑、青、紫などの色がありますが、これらの色は真のものです。しかし、目を閉じれば、色はわたしにとってもはや真実のものではありません。それはわたしにとって、無となってしまいます。しかし、わたしが視力を持つ時、わたしは色を実体化する力を持つのです。そしてこの力によって、黄色という色はわたしにとって黄色となります。ですから、黄色という存在があるだけでなく、わたしは黄色を「実体化する」力も持つのです。わたしは、ある色を真実なものとして、わたしの意識の中で実際とする力を、持つのです。これが「実体化する」ということの意味です。

もしわたしが盲目であれば、色の区別ができません。あるいは、もしわたしに聞く機能がなければ、音楽を楽しむことができません。しかしながら、音楽と色は実在のものであり、またそれらの真の存在は、わたしがそれらを享受することができないからといって、その影響を受けることはありません。わたしたちが今ここで考えているものは、見ることのできないものですが、それらは永遠のものであり、それゆえそれらは真実のものです。もちろんわたしたちは、いかなる天然の感覚をもっても神聖な事実を実体化することはできません。しかし、「望んでいる事柄」とキリストの中にある事実を実体化することのできる一つの機能があります。それが信仰です。信仰は、事実をわたしの経験の中で真実なものとならせます。信仰は、キリストの中にある事柄をわたしたちのために実体化するのです。多くの人が、ローマ人への手紙第六章六節の「わたしたちの古い人が彼と共に十字架につけられた」を読んでいます。信じる者にとっては、この言葉は真実です。疑ったり、あるいは頭で賛成するだけで、霊的照らしのない人にとっては、真実ではありません。

わたしたちは約束ではなく、事実を扱っているということを、ここで再び思い起こしましょう。神の約束は、彼の霊によってわたしたちに啓示されており、わたしたちはそれを堅く保つことができます。しかし、事実は事実であり、わたしたちがそれを信じようと信じまいと、事実であることに変わりはありません。わたしたちが十字架の事実を信じなくても、それはなお真実です。しかし、それはわたしたちにとっては価値のないものとなるでしょう。その事実そのものに対して、信仰によってその真実性を増し加える必要はありません。しかし、信仰を通してのみ、わたしたちはそれらに触れることができ、それらはわたしたちの経験の中で真実なものとなるのです。

神の御言葉の真理と相反するものは、すべてサタンの偽りとすべきです。それは、それがわたしたちの感覚にとって真実な事実でないからではなく、神がそれよりも偉大な事実を述べておられるので、その前に他のものすべてが屈服しなければならないからです。わたしは一度、この原則を例証する経験を持ちました(しかしながら、これは現在の問題に詳細にわたって適用できるものではありません)。数年前、わたしは病気になり、六晩も高熱があり、全然眠ることができないことがありました。それから間もなく、神は聖書から、いやしの言葉を直接わたしに与えてくださいました。このためわたしは、症状はすべて直ちに消えると思いましたが、そうではありませんでした。かえって一睡もすることができず、ただ眠れないだけでなく、以前よりもっと休息を取ることができなくなってしまいました。体温はますます上がり、脈も早くなり、頭痛は前にもましてひどくなる一方でした。その時サタンが、「神の約束はどうしたのか？おまえの信仰はどうしたんだ。おまえが祈ったことはどうなったんだ」と言うのです。そこで再び同じ事を祈ろうとしましたが、わたしは責められ、「あなたの言は真理です」(ヨハネ十七・十七)という節の御言葉がわたしの心の中に入ってきました。わたしは、神の御言葉が真理であるなら、なぜ症状が消えないのだろうと思いました。それらのものはすべて偽りであるに違いありません。ですから、わたしは敵に対して宣告しました、「この不眠の状態は偽りだ。この頭痛は偽りだ。この熱も偽りだ。また、この早い脈も偽りだ。神がわたしに語ったことによれば、これらの病状はみなお前の偽りだ。わたしに対する神の御言葉だけが真理だ」。すると、わたしは五分もたたないうちにぐっすり眠ってしまったのです。そうして翌日、わたしが目を覚ますと、症状は完全に去っていたのです。

もちろん以上のような個人的な事柄では、神の言われたことに関してわたしが自分自身を欺く可能性がずいぶんあります。しかし、十字架の事実には、そのようなことは絶対にありません。サタンの議論がいかにもっともらしく思えても、わたしたちは神を信じなければなりません。

熟練した偽り者は、ただ言葉だけでなく、身振りや行ないによってもうそをつきます。そのような者は、真実でないことをまことしやかに語るだけでなく、偽のお金でも簡単に信用させてしまいます。サタンは巧妙な偽り者であるために、単に言葉だけでうそをつくとは限らないと思わなければなりません。彼は偽の現象、感情、経験などによって、神の言葉に対するわたしたちの信仰を揺り動かそうとするのです。もちろんわたしは、「肉」の実際を否定するのではありません。この肉の問題は、後で十分に取り扱いたいと思います。ここでわたしが言っていることは、啓示されたキリストの中にある立場からわたしたちが離れることです。わたしたちがキリストとの共なる死を事実として受け入れるやいなや、サタンはわたしたちの日々の経験を証拠にして、わたしたちが実際は少しも死んでおらず、それどころか大いに生きていることを、証明しようと全力を尽くします。ですから、わたしたちは選択しなければなりません。わたしたちは、サタンの偽りを信じるのでしょうか、それとも神の真理を信じるのでしょうか？　わたしたちは外観によって支配されるのでしょうか、それとも神の言われることによって支配されるのでしょうか？

わたしはニーです。わたしは自分がニーであることを知っています。これは、わたしが確信をもって信頼することのできる事実です。もちろん、わたしが記憶を喪失して、自分がニーであることを忘れる可能性もあります。または他人であることを夢見るかもしれません。しかし、そのように感じようが感じまいが、あるいは眠っていようがいまいが、わたしはニーであるのです。記憶していようがいまいが、わたしはニーであるのです。

もちろん、わたしが他人を装うなら、事は一層困難になるでしょう。もしわたしが王氏を装うと努力するなら、絶えず自分自身に「わたしは王だ」と繰り返し言わなければなりません。しかし、幾らそのように認めようと努力しても、うっかりしている時に、だれかが「ニーさん」と呼べば、つい「はい」と答えてしまいます。事実はつくりごとに勝つのです。わたしの認めることは、肝心な時に何の役にも立ちません。ところが、わたしはニーですから、ニーであると認めることには、何の困難もありません。これは一つの事実であり、わたしが経験しようとしまいと、変えることのできないものです。

同様に、わたしが感じても感じなくても、わたしはキリストと共に死んでいます。その確信はどこから生じるのでしょうか？　それはキリストが死なれ、そして「一人の方がすべての人のために死なれたからには、すべての人が死んだ」（Ⅱコリント五・十四）からです。わたしの経験がそのことを証明しようがしまいが、事実には変わりがありません。わたしがその事実に立つ以上、サタンはわたしに打ち勝つことができません。サタンは絶えずわたしたちの確信を揺るがせようとねらっていることを、忘れてはなりません。もしサタンが御言葉を疑わせることに成功すれば、その目的は達せられ、わたしたちは彼の支配下に入れられてしまうのです。その反対に、もしわたしたちが神の述べられた事実に確信をもって疑うことをせず、神のみわざと御言葉に対して神は不義であることができないと確信を持つなら、サタンがどんな策略を用いようとも、わたしたちはサタンに向かって笑うことができるのです。だれかがわたしに、わたしがニーでないということを幾ら説得させようとしても、わたしはやはりその人を笑うことができるのです。

「わたしたちは見えるものによってではなく、信仰によって歩くからです」（Ⅱコリント五・七）。「事実」と

「信仰」と「経験」の三者が、城壁の上を歩いていたというたとえ話を、あなたがたも聞いたことがあるかもしれません。「事実」は城壁の上を、右も左も見ず、また後ろを振り返らず、真っすぐに歩いて行きました。「信仰」はその後に従いましたが、「事実」から目を離さないうちは万事ことなく運びました。しかし、いったん「経験」が気になるやいなや、それがどのようになっているか確かめようとして振り向きました。すると、「信仰」は均衡を失って城壁から落ちてしまいました。そして「経験」もその後を追って落ちた、というのです。

すべての試みは、おもに自己を見ることにあります。すなわち、主から目を離して、目に見える事物を見ることです。信仰は絶えず山に直面しているのです。その山とは、神の御言葉と矛盾するかのように見える証拠の山であり、触れることのできる事物の領域にある明らかに矛盾と思える山です。失敗の事実であれ、感覚や暗示の上での失敗であれ、それらはすべて信仰を阻む山です。そこで、この山か信仰のいずれかが去らなければなりません。両者は並び立つことができないのです。しかし、問題は、多くの場合に信仰が去り、山がとどまることから生じます。そうであってはならないのです。もしわたしたちが感覚によって真理を発見しようとするなら、わたしたちは、サタンの偽りがわたしたちの経験に対してしばしば真実であることを見いだすでしょう。しかし、もし御言葉に矛盾するものを絶対に受け入れず、ただ神だけを信じるという態度を堅く持ち続けるなら、わたしたちは、サタンの偽りが溶け始め、一方わたしたちの経験が一歩一歩、神の御言葉と一致するようになることを見いだすでしょう。

わたしたちがキリストと一であってはじめて、このような結果が生じます。なぜなら、これが意味することは、主が具体的な問題において、わたしたちに対して一歩一歩と真実になるということであるからです。わたしたちはある状況において、主がわたしたちにとって真の義、真の聖、真の復活の命であることを見ます。今までわたしたちが見てきた、主の中にある客観的な事実が、今度はわたしたちの中で主観的に、しかし真に働いて、その状況の下で、わたしたちの中に主ご自身を現すのです。これが成熟したしるしです。パウロがガラテヤ人への手紙の中で述べている、「キリストがあなたがたの内に形づくられるまで、わたしはあなたがたのために、再び産みの苦しみをします」（四・十九）というのも、この意味です。信仰は、神の事実を真実なものへと実体化することです。信仰は、永遠の事実、すなわち永遠に真実であるものを、真実なものへと実体化することです。

彼の中に住む

わたしたちはこの問題に多くの時間を費やしていますが、わたしたちはもう一つのことを語りたいと思います。これは、わたしたちがさらにはっきりと理解するのを助けるでしょう。聖書は、わたしたちが「確かに死んでいる」ことを宣言していますが、決してわたしたちが自分自身の中で死んでいるとは記していません。いかにわたしたちのうちに死を見いだそうとしても、それは無理であって、そこに死は見いだされません。わたしたちは自分自身の中で死んでいるのではなく、キリストの中で死んでいるのです。わたしたちがキリストと共に十字架につけられたのは、わたしたちが主の中にいるからです。

主は言われました、「わたしの中に住んでいなさい。そうすれば、わたしもあなたがたの中に住む」（ヨハネ十五・四)。この御言葉は、どなたもよくご存じのことと思います。このことをよく考えてみましょう。この御言葉は、キリストの中に入ろうと努力する必要が全くないということを、まず第一に思い起こさせます。主イエスはわたしたちに、キリストの中に入るようにとは言っておりません。なぜなら、わたしたちはすでにキリストの中にいるからです。しかし、主はわたしたちに、自分自身の置かれた場所にとどまるようにとだけ言われています。わたしたちがキリストの中に置かれたのは、神のみわざであって、わたしたちはそこにとどまっているべきなのです。

この節はさらに、神聖な原則を示しています。すなわち、それは神がわたしたち個々の内においてではなく、キリストにおいてなされたみわざを示しています。まず、神の御子のすべてを含む死とすべてを含む復活は、わたしたちを離れて、完全にかつ最終的なものとして成し遂げられました。キリストのこの歴史は、キリスト者の経験となるのです。キリストから離れては、わたしたちに霊的な経験はありません。聖書はわたしたちに告げていますが、わたしたちは「キリストと共に」十字架につけられ、神はわたしたちを「キリストの中で」復活させ、天上で座らせ、こうしてわたしたちは「キリストにあって」満たされています(ローマ六・六、エペソ二・五、六、コロサイ二・十)。これらのことは、これからわたしたちの内に成就されるべきものではありません(もちろん、これらの経験は、わたしたちがその中に入り込むことが必要です)。それは、彼との結合においてすでに成し遂げられているものです。

神が恵み深いみこころによってなされた事は、わたしたちをキリストの中に包括することです。ですから、神は、キリストにおいてなされた時、キリスト者においてもすでになされました。神はかしらなるキリストを取り扱われた時、すべての肢体をも取り扱われました。わたしたちがキリストから離れて、わたしたち自身の中で、単独で霊的命を経験できると思うのは、大きな誤りです。聖書の中には、このようなキリスト者の経験を見いだすことはできません。神は、わたしたちが絶対的な個人的経験を持つことを望んでおられませんし、またそのようなことをわたしたちに求めておられません。キリスト者のすべての霊的経験は、すでにキリストの中で成就されています。キリストはすでに経験を経ています。わたしたちの経験というものは、わたしたちがキリストの歴史とキリストの経験に入ることにすぎません。

ぶどうの木の一つの枝が赤い皮のぶどうを、もう一つの枝が緑の皮のぶどうを、別の枝が紫色の皮のぶどうを実らせようとし、それぞれの枝がそれ自身のぶどうを実らせようとして、ぶどうの木と関係なしに振る舞うなら、それは奇妙なことになります。同時に、それは不可能なことであり、考えられないことです。枝の性質は、ぶどうの木によって決定されます。それでもなお一部のキリスト者は、さまざまな経験を追い求めています。彼らは、十字架、復活、昇天をそれぞれ別個のものとして考え、すべてはみな主に含まれていることを決して考えようとしないのです。主がわたしたちの目を開き、彼がすべてであることをわたしたちに見せてくださる時のみ、わたしたちは真の経験を持つのです。すべての真実な霊的経験が意味することは、わたしたちがキリストの中にあるという事実を発見して、すでにその事実の中に入ったということです。このような方法によってキリストから得たのでないものは、すぐに消え去ってしまう経験です。「主を賛美します。わたしはすでにキリストの中でその経験を見いだしました。その経験はすでにわたしのものとなっています。主よ、わたしがそれを所有しているのは、それがあなたの中にあるからです」。もしわたしたちが、キリストの事実はわたしたちの経験の基礎であることを知るなら、それは大きなことです。

ですから、神がわたしたちを導く基本的な原則は、わたしたちに何かを与えることではありません。神は、わたしたちにある事柄を経過させ、その結果わたしたちの中にあるものを入れ、それによってわたしたちが「自分の経験」と言うようになることではありません。神がある事をわたしたちの中に成し遂げてくださるのは、わたしたちが、「わたしはキリストと共に三月に死んだ」とか、「わたしは一九三七年一月一日に死から復活した」とか、「わたしは先週の水曜日にある特定の経験を祈り求めて、それを得た」とか言うことができるようになるためではありません。この恵みの時代に、わたしたちは経験そのものを、わたしたちが尋ね求める対象とはしません。時間がわたしの考えを制限してはならないのです。

しかし、ある人は、わたしたちの多くが経た転機についてはどうなのかと言うかもしれません。確かにわたしたちのうちのある者は、その生涯において真の転機を経ました。例えば、ジョージ・ミューラーは、「ジョージ・ミューラーは死にました」と地に伏して言うことができました。それについてはどうなのでしょうか？　わたしは、わたしたちが霊的に経験した事の実際を否定しているのではありません。また、わたしたちが主と共に歩む時、神がわたしたちにもたらしてくださる転機の重要性を認めないわけでもありません。反対にわたしは、わたしたちの生活においてこのようなはっきりとした転機を持つ必要があることを、すでに強調してきました。しかし、ここでわたしたちが注意すべき点は、神は個人に、個人の経験を与えるのではないということです。個人の経験はすべて、すでに神が成就された事実の中に入ることにすぎません。すなわち、時間の中で、永遠の事実を経験することです。キリストの歴史は、わたしたちの経験となり、またわたしたちの霊的歴史となります。わたしたちは、キリストから離れた単独の歴史を持つのではありません。わたしたちに関するあらゆる働きは、神がわたしたちの中で行なわれるのではなく、キリストの中で行なわれるのです。神は、キリストの中で行なわれた働き以外に、個人の中で別の働きをなさるのではありません。永遠の命でさえ、わたしたちに単独で与えられるのではありません。この命は御子の中にあります。御子を持つ者は命を持っています。神は御子の中ですべてを完成され、そしてわたしたちを彼の御子の中に含んでくださっているのです。わたしたちはキリストの一部分となっているのです。

さて今まで述べたことのすべての重点は、次のとおりです。すなわち、もしわたしたちがはっきりとした信仰の中で、「神はすでにわたしをキリストの中に置かれた。だから、キリストについて真実であることは、わたしにとっても真実である。わたしはキリストの中に住もう」と言うなら、この信仰にはとても実際的な価値があります。サタンは絶えずわたしたちを外に出そうとし、わたしたちを外にとどめ、自分が外にいることをわたしたちに認めさせようとします。また、誘惑、失敗、苦しみ、試みを通して、わたしたちがキリストの外にいることを、わたしたちにはっきりと感じさせます。その時、わたしたちは第一に次のように考えます、「もしわたしたちがキリストの中にあるのなら、わたしはこんな状態であるはずがない。だから、わたしたちの現在の感覚から判断すれば、わたしは必ずキリストの外にいるに違いない」。そこでわたしたちは次のように祈り始めるのです、「主よ、わたしをキリストの中に入れてください」。しかし、神の命令は、わたしたちがキリストの中に住むことであり、これが救いの道なのです。しかし、これがどのようにしてわたしたちを救うことができるのでしょうか？　なぜなら、このようにして神は機会を持ち、わたしたちの上にこのことを行なうことができるようになるからです。このようにして神は、彼の超越した力、すなわち復活の力(ローマ六・四、九、十)を働かせる場所を持つのです。このようにして、キリストの事実は次第にわたしたちの日ごとの経験における事実となります。以前は「罪が死の中で支配した」(ローマ五・二一)のですが、今やわたしたちは喜びをもって、「もはや、奴隷として罪に仕えることがない」(ローマ六・六)ことを見いだすのです。

キリストはすべてであるという土台の上にわたしたちが堅く立つ時、キリストが何であるかということは、次第にわたしたちにおいてもそうであるということを、わたしたちは見いだします。それに反して、もしわたしたちが自分自身という土台の上に立つのであれば、古い人のすべてが依然として残っていることを、わたしたちは見いだすでしょう。もしわたしたちが信仰によってキリストの中に立つなら、わたしたちはすべてを持っています。もしわたしたちが自分自身の中に戻るなら、わたしたちには何もありません。わたしたちはいつもキリストの外で自己の死を見いだそうとしますが、それは誤った場所です。なぜなら、死はキリストの中にあるからです。もしわたしたちが自分の中を見るなら、自分が罪について活発に生きていることを知ります。しかし、主を仰ぎ望む時、死がここで働き、「新しい命」がわたしたちのものとなるよう、神は心を留めてくださるのです。この時、わたしたちは神に対して生きている者なのです(ローマ六・四、十一)。

「わたしの中に住んでいなさい。そうすれば、わたしもあなたがたの中に住む」（ヨハネ十五・四）。これは、命令と約束を含む二重の言葉です。すなわち、神の働きには主観的な面と客観的な面があり、主観面は客観面に依存しています。「わたしもあなたがたの中に住む」ということは、わたしたちが彼の中に住むことの結果です。わたしたちは、この主観面に気を使いすぎ、客観的な事実をおろそかにして、自分自身を見ることがないように注意しなければなりません。わたしたちは、客観的な面、すなわち「わたしの中に住んでいなさい」を持ち続け、神に主観的な面を取り扱っていただくべきです。このことは、神がすでに責任を負ってくださっていることです。

わたしはこのことを電気にたとえたことがあります。あなたがだんだん暗くなる部屋で読書をしているとして、もし机の上に電気スタンドがあるとすれば、あなたはどうするでしょうか？　電気が自然につくと思って、じっと見つめているでしょうか？　あるいは電球を布で磨くでしょうか？　そうではなく、あなたは立ち上がって部屋のはじに行き、スイッチをひねるでしょう。電源に注意を向け、必要な行為を取れば、光がつくのです。

ですから、わたしたちは主と共に歩む時、わたしたちの注意はキリストに注がれなければなりません。「わたしの中に住んでいなさい。そうすれば、わたしもあなたがたの中に住む」とは、神の命じられることです。客観的な事実に対する信仰は、それらの事実を主観的なものに変えます。使徒パウロが言うように、「しかし、わたしたちはみな、おおいのない顔をもって、鏡のように主の栄光を見つめつつ映しつつ、栄光から栄光へと、主と同じかたちへと造り変えられていきます」（Ⅱコリント三・十八）。これと同じ原則が、命の実についても適用することができます、「人がわたしの中に住んでおり、わたしもその人の中に住んでいるなら、その人は多くの実を結ぶ」(ヨハネ十五・五)。わたしたちは実を結ぶために努力したり、結ばれた実に注意を払ったりはしません。わたしたちの本分は、ただ主を仰ぎ望むことです。こうすることによって、主は御言葉をわたしたちのうちに成就するため、みわざをなしてくださるのです。

わたしたちはどのようにして彼の中に住むのでしょうか？　「あなたがたがキリスト・イエスの中にあるのは、神によるのです」。あなたをキリストの中に入れたのは神の働きであり、神はそのことをすでになさったのです。今はそこにとどまっている必要があるだけです！　自分自身の場所に戻ってはいけません。キリストの中にいないかのように考えて、自分自身を見ないことです。キリストを見つめ、彼の中であなたを見なさい。彼の中に住みなさい。神がご自身の御子の中にあなたをすでに置いてくださったこの事実に安息しなさい。そして、彼があなたの中でご自身のみわざを完成してくださることを信じなさい。彼は、「罪はあなたがたを支配するはずがありません」(ローマ六・十四)という、ご自身の栄光なる約束を実現してくださいます。

第五章　十字架の区分

この世の国は神の王国ではありません。神はある世界体系——神の創造による宇宙——を計画しておられました。この宇宙は神の御子キリストを元首とするものです（コロサイ一・十六、十七）。しかしサタンは人の肉を通して、聖書に記されているように、「この世」という神の王国に敵対する制度を立てました。わたしたちは今この制度の中に含まれており、サタンがその支配者となっています。サタンは事実上「この世の支配者」（ヨハネ十二・三一）となったのです。

二つの創造

第一の創造は、サタンの手によって旧創造となりました。そのために神の現在の関心は、もはや旧創造ではなく、第二の新しい創造にあります。神は新創造、新しい王国、新しい世界を実現されつつあります。旧創造、古い王国、古い世界に属するものは、新しい領域にもたらすことはできません。現在の問題は、わたしたちがこの二つの敵対する領域のいずれに属するかということです。

もちろん、使徒パウロは、事実上いずれの領域がわたしたちのものであるかをはっきりさせています。パウロは、神が贖いにおいて、「父はわたしたちを暗やみの権威から救い出して、彼の愛する御子の王国に移してくださいました」（コロサイ一・十二、十三）と告げています。ですから、わたしたちの国籍はそこにあるのです。

しかし、この新しい王国にわたしたちをもたらすために、神は新しい事をわたしたちの中で行なわれる必要があります。彼はまずわたしたちを新創造に造り変えなければなりません。わたしたちは新しく創造されない限り、この新しい領域にふさわしいものとなることはできません。「肉から生まれるのは肉であり」(ヨハネ三・六)、「肉と血は神の王国を継ぐことはできませんし、朽ちるものは朽ちないものを継ぐことはありません」(Ⅰコリント十五・五〇)。わたしたちがいかに高度な教育を受けても、いかなる教養を身につけても、いかに改善されても、肉はやはり肉です。わたしたちが新しい国にふさわしいかどうかは、わたしたちがどちらの創造に属するかによって決定されます。わたしたちは旧創造、新創造のどちらに属しているでしょうか？　わたしたちは肉から生まれたのでしょうか、それとも霊から生まれたのでしょうか？この新しい領域の究極的な適性は、その起源の問題にかかっています。問題は「良いか悪いか」ではなく、「肉か霊か」であるのです。「肉から生まれるのは肉であり」、それ以外の何ものでもありません。旧創造のものが新創造の中に移ることは決してあり得ません。

わたしたちは、神が何を求めておられるかということを真に知った時、すなわち、ご自身のために全く新しいものを求めておられることを知った時、古い領域に立って新しい領域に貢献することは絶対にできないことを、はっきり知るでしょう。神はご自身のためにわたしたちを得ることを望んでおられましたが、わたしたちを肉の状態のままで、計画されていた新創造へもたらすことはできませんでした。ですから、まずキリストの十字架によってわたしたちを処理し、それから復活によってわたしたちに新しい命を備えられたのです。「ですから、だれでもキリストの中にあるなら、その人は新創造です。古いものは過ぎ去りました。見よ、それらは新しくなりました」(Ⅱコリント五・十七)。今や、新創造の人とされ、新しい性質と機能を持つことによって、わたしたちは、新しい王国と新しい世界に入ることができるのです。

十字架は、「古い人」を完全に取り除くことによって、「古いもの」を終わらせる神の方法であり、復活は、わたしたちが新しい世界に生きるのに必要なすべてのものを与える神の方法でした。「こういうわけで、わたしたちは彼の死の中へとバプテスマされることを通して、彼と共に葬られたのです。それは、キリストが父の栄光を通して死人の中から復活させられたように、わたしたちも命の新しさの中を歩くためです」(ローマ六・四)。

この宇宙の中で最大の否定的なものは十字架です。なぜなら、神はそれによって、ご自身に属していないものをすべて一掃されたからです。この宇宙の中で最大の肯定的なものは復活です。なぜなら、神はそれを通して、新しい領域にあるべきものをすべてその中にもたらされたからです。ですから、復活は新創造の門とも言うべきものです。十字架が第一の王国に属するすべてのものを終わらせ、復活が第二の王国に関するすべてのものをもたらすことを見いだす人は幸いです。復活の前にその起源を持っていたものは、すべて一掃されなければなりません。なぜなら、復活は神の新しい出発点であるからです。

わたしたちの前に、新旧二つの世界があります。古い世界では、サタンが絶対的な統治の権力を持っています。あなたは、旧創造にある善人であるかもしれません。しかし、あなたは旧創造に属するなら、死の罪定めの下にあります。なぜなら、旧創造に属するものは、何一つ新しい領域にもたらすことができないからです。十字架は、旧創造に属するものはすべて死ななければならないという神の宣告です。第一のアダムに属するものは、その一つも十字架の向こう側へ越えて行くことはできません。そこがすべての終点であるのです。このことを早く知れば知るほど幸いです。なぜなら、神はこの十字架によって、旧創造から逃れる道を備えてくださったからです。神はアダムに属するすべてのものを御子の内に集め、そして十字架につけられました。ですから、御子にあって、アダムに属するすべてのものは処理されたのです。それから、神は全宇宙に向かって宣告するかのように、こう言われました、「わたしに属していないものをすべて、わたしは十字架によって区別した。旧創造に属するあなたがたは、みなそれに含まれている。あなたがたはキリストと共に十字架につけられた!」。だれもこの判決から逃れることはできません。

この事は、わたしたちをバプテスマの問題へと導きます。「それとも、キリスト・イエスの中へとバプテスマされたわたしたちはみな、彼の死の中へとバプテスマされたことを、あなたがたは知らないのですか? こういうわけで、わたしたちは、彼の死の中へとバプテスマされることを通して、彼と共に葬られたのです」(ローマ六・三—四)。この御言葉は何を意味するのでしょうか?

聖書では、バプテスマは救いと結び付いています。「信じてバプテスマされる者は救われる」(マルコ十六・十六)。聖書的に見て、「バプテスマによる再生」について語ることはできませんが、「バプテスマによる救い」については語ることができると思います。救いとは何でしょうか? 救いはわたしたちの罪や罪の力と関係があるのではなく、宇宙、あるいは世界体系と関係があります。わたしたちはサタンの世界体系に含まれています。救われるとは、サタンの世界体系から出て、神の世界体系へ入ることです。

パウロは、主イエス・キリストの十字架に対して、「その方を通して、この世はわたしに対して十字架につけられ、わたしもこの世に対して十字架につけられてしまったのです」(ガラテヤ六・十四)と言っています。ペテロは、「水の中を通って安全に救われた」(Ⅰペテロ三・二〇)八人について記しています。この予表は、十字架の意義をさらに明らかにしています。ノアと彼の家族は信仰によって箱舟に入って、腐敗した古い世界から出て来て、新しい世界へと入りました。彼らが個人的におぼれなかったということはあまり問題ではありません。あの腐敗した世界体系の外にあったことが重要な問題です。これが救いです。

さらに、ペテロはこう述べています。「その水はバプテスマの予表であって、イエス・キリストの復活を通して、今やあなたがたをも救うのです」(Ⅰペテロ三・二一)。言い換えれば、バプテスマの表徴である十字架によって、あなたはこの現在の邪悪な世から救い出され、水によるバプテスマによって、その事を確認するということです。バプテスマは一方で、「彼の死の中へと」旧創造を終わらせ、もう一方では、「キリスト・イエスの中へと」、新創造に入ることです(ローマ六・三)。あなたが水の中に沈む時、あなたの世界は、あなたと共に水の中に沈みます。あなたはキリストにあって出て来る時、あなたの古い世界はおぼれて死んでいるのです。

パウロはピリピで、「主イエスを信じなさい。そうすれば、あなたもあなたの家族も救われます」と獄吏に言いました。そして、「彼と彼の家族一同に、神の言を語った」。すると、「彼と彼の家族一同はすぐにバプテスマされ」ました(使徒十六・三一―三四)。こうして、彼らは神の御前で、神の民の前で、霊的な力の前で、確かに裁きの下にある世界から救われたことを証ししました。その結果、彼らは「全家族と共に神を信じたことで歓喜し」ました。

　ですから、バプテスマされるということは、コップの水や水槽の水の問題ではないことが明らかです。それは主の死と復活に関する極めて重大な事柄であり、二つの世界を同時に見渡しているのです。異教の国で伝道する人たちは、バプテスマによって引き起される問題の重大性をよく知っています。

葬りは終結を意味する

　ペテロは続けて、バプテスマは「神に対して正しい良心を求めることです」と言っています。わたしたちは問われなければ、答えることはできません。神がもし何も言われなかったなら、わたしたちは回答する必要はありません。しかし、神は語っておられるのです。神は十字架によって、わたしたちに語っておられます。十字架によって、わたしたちに対する、この世、旧創造、古い王国に対する裁きを語っておられます。十字架はキリストの個人的なもの、「個人の」十字架だけではありません。それはすべてを含む十字架であり、「団体的」な十字架であり、あなたとわたしを含む十字架です。すべてを包括する十字架、「共同の」十字架、あなたとわたしを含む十字架です。神はわたしたちすべてを御子の中に置き、そしてわたしたちをキリストにあって十字架につけられたのです。最後のアダムにおいて、神は第一のアダムに属するすべてのものを一掃されたのです。

　旧創造に対する神の宣告に対して、わたしはどう答えたらよいでしょうか？　わたしはバプテスマをもって答えます。なぜでしょうか？　パウロはローマ人への手紙第六章四節で、バプテスマは葬りを意味するると説明しています。「わたしたちは彼の死の中へとバプテスマされることを通して、彼と共に葬られたのです」。バプテスマは、もちろん死と復活と関係がありますが、それ自体は、死でも復活でもなく、葬りです。ところで、だれが葬られる資格を持っているでしょうか？　死人だけです！　ですから、わたしがバプテスマを求めるとすれば、自分はすでに死んでおり、それゆえ墓に納まるよりほかにないことを宣言しているのです。

しかし残念なことに、ある人たちは葬りを死の方法とするようにと教えられてきました。そのため彼らは、葬られることによって死のうとするのです！　ここでわたしは、わたしたちがキリストにあってすでに死に、またキリストと共に葬られたことに対して、神によって目が開かれるのでなければ、バプテスマされる権利はないことを強調したいのです。水の中に入るのは、神の御前で、自分はすでに死んだことを認識するからです。わたしたちはこのことを証しするのです。神の問いは単純明解です。神は言われます、「キリストは死んだ。わたしはまた、あなたをもその死に含めた。それに対してあなたはどう言うのか？」。わたしの答えはどうでしょうか？　「主よ、わたしはあなたが十字架につけてくださったことを信じます。あなたがわたしに適用された死と葬りに対して、わたしは『はい』と言います」。神はわたしを死と墓に渡されました。バプテスマを願うことによって、わたしはこの事実に対して公に承認するのです。

中国で、ある婦人が夫を亡くしました。彼女は悲痛のゆえに精神に異常をきたし、夫の埋葬を拒絶しました。そのため夫の死体は、ついに二週間も家の中に置かれていました。彼女は、「夫は死んでいない。わたしは毎晩夫と話をしている」と言って、埋葬を拒みました。かわいそうに彼女は夫が死んだことを信じなかったので、夫の埋葬に同意しなかったのです。わたしたちはいつ、わたしたちの愛する者の埋葬に同意するでしょうか？　その者が死んだという確証を得た時だけです。少しでも生きているという望みがあると思ったら、絶対に埋葬しないでしょう。それでは、いつわたしはバプテスマを願い出るべきでしょうか？　それは、神の道が完全であり、またわたしが死ぬべきものであることを知った時、そして神はすでにわたしを十字架につけられたと真に信じた時です。神の御前で自分が完全に死んでいることを十分に納得した時に、わたしはバプテスマを願い出ます。その時にわたしはこう言うでしょう、「神を賛美します。わたしは死んでいます！　主よ、あなたはわたしをほふられました。今や、わたしを葬ってください！」。

中国には、二つの緊急の救護機構があります。その一つは「赤十字」で、もう一つは「青十字」です。赤十字の働きは、戦場で負傷してまだ生きている者を治療するためです。青十字の働きは、飢きん、洪水、戦争などで死亡した人を埋葬することです。神はキリストの十字架において、赤十字よりもさらに徹底的な処置をされます。神は旧創造を一時的に補修したり、応急処置をしたりはされません。今生きている者でさえ、主によって死と葬りの宣告を受けているのです。これは、彼らが復活させられて新しい命を得るためです。神が十字架の働きを完成されたので、今わたしたちは、死人のうちに数えられています。しかしわたしたちは、この事実を受け入れ、「青十字」の働きにゆだね、「埋葬」によって自己の死を確かなものとしなければなりません。

古い世界と新しい世界があり、両者の間には、墓があります。神はすでにわたしを十字架につけられましたが、わたしはその墓の中へ渡されることに同意しなければなりません。わたしのバプテスマは、御子の十字架にあってわたしに下された神の宣告を確証し、わたしが古い世界から分離され、今や新しい世界に属していることを確認します。ですから、バプテスマは決して小さい事ではありません。それは古い生活方式からの、はっきりした確定的な分離を意味します。これがローマ人への手紙第六章二節、「罪に対して死んだわたしたちが、どうして、なおもその中に生きていることができるでしょうか？」の意味です。パウロの意味はこうでした、「古い世界に生き続けたいなら、どうしてバプテスマされたのですか？　古い領域に生きるつもりであったなら、絶対にバプテスマされてはなりませんでした」。ひとたびこれを見たなら、わたしたちは旧創造の葬りに同意して、新創造への基礎を十分に据えています。

　ローマ人への手紙第六章五節で、パウロはなおも、「バプテスマされた」者(三節)に、「もしわたしたちが、彼の死の様の中で彼と共に成長したなら、彼の復活の様の中にもあるのです」と言っています。なぜなら、バプテスマによって、神が死と復活においてキリストとわたしたちとを密接に結合させてくださったことを、わたしたちは象徴的に認めるからです。ある日、わたしはこの真理を一人の兄弟に強調したいと思いました。その時、一緒に紅茶を飲んでいたので、わたしは角砂糖を紅茶に入れてかき回しました。数分たってから、「紅茶と砂糖の区別ができますか？」と聞いた時、彼は、「いいえ、あなたが一緒にされたので溶け合ってしまい、区別はできません」と答えました。これは簡単な例証でしたが、わたしたちが死ということで、キリストと決定的に、密接に結合されていることを、彼に理解させるのに役立ちました。神がそこにわたしたちを置かれたのであって、だれもこの神のみわざを覆《くつがえ》すことはできません。

　ところで事実上、この結合は何を意味するのでしょうか？　バプテスマの背後にある真の意義は、わたしたちが十字架にあってキリストの歴史的な死の中へとバプテスマされることによって、キリストの死がわたしたちのものとなることです。そのためにキリストとわたしたちの死は、密接に同一化されたので、それを分けることはできないのです。この歴史的な「バプテスマ」、すなわち神によってもたらされたキリストとのこの結合に同意して、わたしたちは水の中に入ります。わたしたちが現在バプテスマによって公に発表している証しは、二千年前のキリストの死が、わたしたちの内にある神に属さないすべてを運び去り、終わらせるほどに強力で包括的であったことを承認することです。

復活して命の新しさの中に入る

「もしわたしたちが、彼の死の様の中で彼と共に成長したなら、彼の復活の様の中にもあるのです」(ローマ六・五)。

復活は、新しいものが導入されているために、大いに異なっています。わたしは「彼の死の中へとバプテスマされた」のですが、それと同じように主の復活の中へと入るのではありません。主を賛美します！彼の復活がわたしの中へと入って来て、新しい命を分け与えるのです。主の死において、「わたしがキリストの中にある」ことにもっぱら強調があります。復活の場合には、わたしがキリストの中にあることに変わりはありませんが、今度は「キリストがわたしの中にある」ことに新しい強調があります。どのようにしてキリストは、ご自身の復活の命をわたしに与えてくださることができるのでしょうか？　どのようにしてわたしは、この新しい命を受け入れることができるのでしょうか？　パウロは、「彼と共に」という同じ言葉を使うことによって、とてもすばらしい説明を与えているようです。なぜなら、この「共に」というギリシャ語は、「接ぎ木する」という意味を含み、復活によってわたしたちに分け与えられるキリストの命を、とても美しく描いているからです。

わたしは福建にいた時、龍眼(中国人に親しまれている木で、アンズ大のおいしい実がなる)の果樹園の主人を訪問したことがありました。彼は一万平方メートル余りの土地に、三百ほどの果樹を持っていました。わたしは、この果樹は苗木から成長したのか、それとも接ぎ木したのかと尋ねました。彼は、「接ぎ木していない木を育てるために、わたしが土地を無駄にすると思いますか？　古い株には何の価値もありません」と答えました。

そこでわたしが接ぎ木の過程を説明してくださるように言うと、彼は喜んで答えてくれました。「ある木が一定の高さになった時、わたしは上の方を切り落とし、あそこに見える木から取った枝を接ぎ木するのです」。彼は一本の木を指さし、さらに言いました、「ほかの木は、みなあの木から取って接ぎ木するので、わたしはあれを父親の木と呼んでいます。ほかの木は、自然に延びるままにしておかれると、その実は木いちごぐらいの小さなものとなり、しかもその中身の大部分は、厚い皮と種です。ところが接ぎ木の土台になるこの父親の木には、びわぐらいの大きさの実が実り、しかもその皮は薄く、種は小さいのです。そしてもちろん、その枝を接ぎ木した木は、それと同じような実を結びます」。「それはどうしてですか？」とわたしは尋ねました。彼は言いました、「わたしがすることは、一つの木の性質をほかの木に移すだけです。その方法は、貧弱なほうの木の幹に裂け目を作り、そこに父親の木からの枝を差し込みます。それからそこを結び、自然に育つのを待つのです」。「どのようにして育つのですか?」とわたしは尋ねました。「それはわからないのですが、とにかく育つのです」と彼は言いました。

彼はこう言って、一本の木を見せてくれました。その木の接ぎ木した部分より下の古株には、とても貧弱な実がついており、接ぎ木をした上の部分には、大きくみずみずしい実が結ばれていました。彼は言いました、「わたしは役に立たない実を結ぶ古い株をわざと残しておいて、両者の違いを表したのです。このことから、接ぎ木の価値がわかるでしょう。またこれで、なぜわたしが、接ぎ木した木しか育てないかがわかるでしょう」。

どうして一つの木が、他の木の実を結ぶことができるのでしょうか? どうして貧弱な木が、良い実を結ぶことができるのでしょうか? それはただ接ぎ木によってです。良い木の命をその木に植えつけることによってのみ、可能となるのです。人が接ぎ木の枝をほかの木に接ぎ木することができるとすれば、どうして神が、御子の命をわたしたちに接ぎ木することができないでしょうか?

ある中国の婦人が、腕をひどく火傷して、病院へかつぎ込まれてきました。火傷による萎縮を防ぐために、その傷の上に新しい皮膚を移植する必要がありました。医師は火傷の上に、彼女の皮膚の別の部分を移植しようとしましたが、彼女の老齢と栄養不良のために、うまく移植できませんでした。ところが、一人の白人の看護婦が自分の皮膚の一部を提供したので、手術は成功しました。新しい皮膚は古い皮膚に付いて、腕は完全に良くなったので、その婦人は退院しました。しかし彼女の黄色い腕の上には、白い皮膚が残っていて、過去の出来事を物語っていました。ほかの人の皮膚が、どうしてその婦人の皮膚に育っていくのでしょうか？　わたしにはわかりません。しかし育ったことは事実です。

もし地上の外科医が、一人の体から一片の皮膚を取って他の人の皮膚に移植することができるなら、どうしてさらに偉大なる外科医である神が、わたしの内に御子の命を移植することができないでしょうか？　それがどのようになされるのか、わたしは知りません。「風は思いのままに吹く。あなたはその音を聞くが、それがどこから来て、どこへ行くかを知らない。その霊から生まれる者もみなそうである」（ヨハネ三・八）。わたしたちは、神がどのようにしてわたしたちの中でみわざをなされたか、説明することはできませんが、それは事実なされているのです。そのために、わたしたちは何をすることもできませんし、またする必要もありません。なぜなら、それは復活によって神がすでになされたからです。

神はすべてのことをなされました。この世に実を結ぶ命は一つしかありません。この命は何百万もの他の命に接がれました。わたしたちはこれを「再生」と呼びます。再生の意義は、前に持っていなかった命を受けることです。それは、わたしの天然の命が変化したというのではありません。別の命、全く新しい命、神聖な命が、わたしの命となったのです。

神は御子の十字架によって、旧創造を切り離されました。それは復活によって、キリストにあって新創造をもたらすためです。神は暗黒に属する古い王国に向かって戸を閉ざし、わたしを愛する御子の王国へ移してくださいました。わたしの誇りは、主イエス・キリストの十字架において、すでに古い世が「その方を通して、わたしに対して十字架につけられ、わたしもこの世に対して十字架につけられてしまった」（ガラテヤ六・十四）事実にあります。わたしのバプテスマは、その事実の公の証しです。それによって、わたしが口で証しするように、「告白して救われる」のです（ローマ十・十）。

第六章　前進する道——自分自身を神にささげること

これまでの章を見てきたので、今や献身の真の性質について考察したいと思います。わたしたちの前には、ローマ人への手紙第六章の後半である、十二節から終わりまでが置かれています。第六章十二節から十三節は言います、「こういうわけで、あなたがたは死ぬべき体の中で、罪に支配させて、体の情欲に従ってはなりません。またあなたがたの肢体を不義の武器として、罪にささげてはなりません。むしろ、あなたがた自身を死人の中から生きている者として、神にささげ、そしてあなたがたの肢体を義の武器として、神にささげなさい」。ここで重要な言葉は「ささげる」であり、この章の十三節、十六節、十九節に五回記されています。

多くの人は、この「ささげる」という言葉は献身を意味すると思い、しかもその内容を注意深く調べることをしません。もちろんその意味ではあるのですが、わたしたちが普通に解釈している献身とは違います。それは、わたしたちの「古い人」を、そのままの本能や能力——天然の知恵、力、その他の賜物——と共にささげて主に用いていただく、という意味ではありません。

十三節を読めば、このことは直ちにはっきりします。その節の「あなたがた自身を死人の中から生きている者として」という言葉に注意してください。パウロは、「あなたがた自身を死人の中から生きている者として、神にささげ」るようにと言います。これは献身の出発点を説明しています。ここで言及されているのは、旧創造に属する何かをささげることではなく、死から復活へと移ったものだけをささげることです。ここで述べられている「ささげる」ということは、わたしの古い人が主と共に十字架につけられたことを知った結果です。知ること、認めること、自分を神にささげること、これが神の順序です。

わたしは主と共に十字架につけられたことを真に知る時、自然に自分は死んだと認めます（六、十一節）。また主と共に死から復活させられたことを知る時、わたしは「キリスト・イエスの中で……神に対しては生きている」ことを認めます（九、十一節）。なぜならわたしは、十字架の両面、死と復活を、信仰によって受け入れるからです。この点にまで達した時、自分を主にささげることが行なわれます。復活において、キリストはわたしの命の源となります。実に、彼はわたしの命です。ですから、わたしは、主にすべてをささげないわけにはいきません。なぜなら、すべてはわたしのものではなく、主のものであるからです。しかし、死を経なければ、わたしはささげるべきものを何も持っていないし、また神は受けるべきものを何も持たれないのです。なぜなら、神は旧創造に属するすべてのものを、十字架上で罪定めされたからです。死は主にささげることのできないものをすべて切り離しました。ですから、復活だけがささげることを可能にしたのです。自分を神にささげるとは、今後、わたしのすべての命が主のものであると認めることです。

第三段階：自分自身を神にささげること

この「ささげる」ということは、わたしの体（前に学んだように、罪に使われない体）の肢体と関係があることに注意してみましょう。「あなたがた自身を……神にささげ、あなたがたの肢体を……ささげなさい」（ローマ六・十三）。また「自分の肢体を……ささげ」（十九節）とパウロは言っています。神はわたしのすべての肢体と機能が、完全に神のものであると考えるべきことを、わたしに求めておられます。

わたしはもはや自分のものでなく、神のものであることを発見するのは、実にすばらしいことです。もしわたしのポケットの中のシリングがわたしのものであれば、わたしはそれを使う権利を持っています。もしわたしがそれをだれかから預かっているなら、それで買いたいと思うものを買うことはできませんし、なくさないように注意するでしょう。真のキリスト者の生活は、この自覚から出発します。わたしたちの何人が、キリストが復活されたので、自分は「神のために」生きるのであって、もはや自分のために生きるのではないことを知っているでしょうか？　わたしたちの時間、お金、才能が自分のものではなく、主のものであると知って、自分のものにしようとしない人が、何人いるでしょうか？　自分はキリストに属すものであるから、ただの一シリングも、一時間も、知力も体力も、あえて浪費しないという強い感覚を持っている人が、わたしたちの間に何人いるでしょうか？

ある時、中国の兄弟が汽車で旅行しました。彼は、同席の他の三人がクリスチャンでないことに気づきました。この三人はトランプをしたかったのですが、四人必要だったので、その兄弟を誘いました。その兄弟は言いました、「すみませんが、わたしは手を持って来なかったので、仲間に入れていただくことはできないのです」。彼らはこれを聞いて非常に驚き、「それはどういう意味ですか？」と尋ねました。彼は、「この二本の手はわたしのものではありません」と言って、彼の命の中の主権が移ったと説明しました。この兄弟は、自分の体の肢体が完全に主のものであると認識していたのです。これが真の聖です。パウロは、「今や自分の肢体を奴隷として義にささげて、聖別に至りなさい」（ローマ六・十九）と言っています。これを実際の行動の上で行なわなければなりません。「自分自身を神にささげなさい」。

聖別されて主に帰す

聖とは何でしょうか？　多くの人は、内にある悪いものを取り除いて聖になると考えます。しかしそうではありません。わたしたちは、聖別されて神に帰すことによって聖になるのです。旧約時代には、ある人が選ばれて、完全に神のものとなる場合、その人は公に油を注がれ、そして「聖別され」ました。それ以後、彼は分離されて神に帰されたものとされました。同じように、動物や物体（小羊、宮の金など）さえ、聖とされることができました。それは、それらのものの中にある堕落したものを根絶することによるのではなく、主のために完全に区別されることによりました。ヘブル語で、「聖」はこのように、分離されたものを指しています。真の聖は、主に対して聖であることです（出二八・三六）。わたしは自分を完全に主にささげます。これが聖です。

自分を主にささげるとは、自分が完全に主のものであると承認することです。このように自分を主にささげることは、「認める」ことと同じように、確定的なことです。わたしの生涯で、ある日、わたし自身が自分の手から神の御手に移らなければなりません。その日から、わたしは神のものとなり、もはや自分のものではなくなるのです。これは、わたしが自分をささげて伝道者や宣教士になることではありません。

悲しいことに、多くの人が伝道者になっているのは、真に自分を神にささげたからではなく、むしろ、わたしたちがここで述べている意味で自分を神にささげなかったためにです。彼らは、全く別のもの、すなわち、まだ十字架につけられていない天然の能力を「ささげ」(彼らの言う意味で)、神の働きにあずかっているのです。しかし、これは真の献身ではありません。それでは、何に対して自分をささげるべきでしょうか？　それは、クリスチャンの働きに対してではなく、わたしにこうあってほしい、これをしてほしいと言われる神のみこころに対してであるのです。

ダビデには多くの勇士がいました。ある者は将軍であり、ある者は門番でしたが、彼らはそれぞれの任務にしたがって王から任命されました。わたしたちは、自分で選ぶのではなく、神のみこころによって定められた職務にしたがって、喜んで将軍にも門番にもならなければなりません。あなたがクリスチャンであれば、神はあなたの歩くべき道を定めておられます。パウロはこれを、「行程」(Ⅱテモテ四・七)と呼んでいます。パウロだけでなく、すべてのクリスチャンの行程を、神は明らかに定めておられます。各自が神の定められた行程を知り、その中を歩くことが、極めて重要であるのです。「主よ、わたしは、あなたが定められた道を知って歩くというこの願いをもって、わたし自身をあなたにささげます」。これが真の献身です。もし人生の終わりに、パウロが言ったように、「行程を走り終え」た(Ⅱテモテ四・七)と言えるのであれば、わたしたちは何と祝福されていることでしょう。人生の終わりに、間違った道を歩いてきたのを知ることほど、悲惨なことはありません。わたしたちは一度しか生きることができません。どのように生きるかはわたしたちの意思によりますが、それがもし自分の楽しみの追求のためであったなら、わたしたちの生活は決して神の栄光を現さないでしょう。ある敬虔《けいけん》なクリスチャンがかつて、「わたしは自分のためには何も必要としないが、神のためにはすべてのものを必要とする」と言いました。あなたは神以外の何かを欲していないでしょうか？　それとも、あなたの願望は、神のみこころを中心としているでしょうか？あなたは真に、神のみこころが自分にとって善であって、喜ばれ、完全なものである(ローマ十二・二)と言えるでしょうか？

ここでの問題は、わたしたちの意志です。わたしの頑固な固執する意志は、十字架に行かなければなりませんし、わたしは自分を完全に主にささげなければなりません。洋服屋に生地を渡さなければ、洋服を作ってもらうのを望むことはできません。もしわたしたちが建築材料を提供しなければ、建築家は家を造ることができません。それと同じように、もしわたしたちが自分の命を主にささげなければ、主がわたしたちの中でご自身の命を生かし出してくださるように期待することはできません。保留することなく、何の理屈もつけないで、自分を主にささげ、みこころのままに用いていただかなければなりません。あなた自身を神にささげなさい(ローマ六・十三)。

しもべか奴隷か

わたしたちが保留することなく自分を神にささげようとするなら、多くの調整が必要になります。すなわち、わたしたちは家庭、仕事、召会の関係、個人的な見解などについて調整しなければなりません。神はわたしたちの何ものも保留されないでしょう。神の指は一つ一つご自分に属さないものを指さし、「これを取り除きなさい」と言われるでしょう。あなたはそれを願うでしょうか？　神に反抗することは愚かであり、神に服することは常に賢明です。しかし、わたしたちの多くは、依然として神と論争しています。神はあるものを欲しておられるのに、わたしたちは別のものを欲しています。わたしたちは、自分の平安を失いたくないために、あえて見たり、祈ったり、考えてさえみないものが、多くあります。こうして、この問題を避けることはできるでしょう。しかしそのようにするなら、自らを神のみこころから引き離すでしょう。神のみこころから離れることは常に容易ですが、わたしたち自身を神に明け渡して、みこころのままに扱っていただくことは真に幸いです。

わたしたちが主のものであり、自分のものではないという感覚を持つのは、何とすばらしいことでしょう！　この世にこれほど尊いことはありません。このような感覚が、神の絶えない臨在の感覚をもたらします。その理由はとてもはっきりしています。主の臨在の感覚を持とうとするなら、自分は神の所有であるという感覚を持たなければなりません。神の主権が成立すると、わたしは自分の利益のためにあえて何もしなくなります。なぜなら、わたしは神の嗣業《しぎょう》であるからです。「あなたがたは知らないのですか？　だれかに自分を奴隷としてささげて従順になるなら、あなたがたは自分が従っている者の奴隷であって」(ローマ六・十六)。ここでは「しもべ」ではなく、「奴隷」という言葉が使われています。この奴隷という言葉は、ローマ人への手紙第六章の後半に数回使われています。しもべと奴隷との違いは何でしょうか？　しもべは人に仕えますが、自分の主権は他の人に移りません。主人が好きであれば、その主人に仕えますが、好きでなければ、ほかの主人を捜すことができます。しかし、奴隷にはそれはできません。彼は人のしもべであるだけでなく、人の所有物でもあるのです。わたしはどのようにして主の奴隷になったのでしょうか？　主の側から言えば、彼がわたしを買い取られました。わたしの側から言えば、わたしは自分を彼にささげたのです。神はわたしを贖ってくださったので、わたしは神の嗣業です。しかし、奴隷になろうとするなら、進んで自分を神にささげなければなりません。なぜなら、主は決してわたしにそれを強いられないからです。

今日の多くのクリスチャンの悩みは、神が彼らに要求しておられることに対して、十分な概念に欠けることです。彼らは実にたやすく、「主よ、わたしは何でもいたします」と言います。あなたは、神があなたの命を求めておられることを知っているでしょうか？　わたしたちが大事にしている理想、強烈な意志、尊い関係、愛着のある仕事などを、すべて捨てなければなりません。ですから、真にそのつもりでなければ、自分を神にささげてはなりません。たとえあなたが厳粛に言ったのでなくても、神はあなたの言葉をそのまま受け取られるのです。

ガリラヤの少年が主の所にパンを持って来た時、主はどうされたでしょうか？　主はそれをさかれました。神はご自身にささげられたものを、必ずさかれます。神はご自身の受け取るものをさかれますが、さいた後、それを祝福し、人の必要を満たすのに用いられます。あなたが自分を主にささげた後、主はささげられたものをさき始められます。そうすると、万事がうまくいかないように思われて、あなたは神の方法に欠点を見いだそうとするでしょう。しかし、そこでとどまるなら、ただの壊れた器となることです。なぜなら、神の領域に余りにも深入りしすぎたために、世のものとして用いられるには、世にとっては無用のものであり、神に用いられるほどにも進んでいないので、神にとっても無益であるからです。あなたはこの世とのずれがあり、しかも神と争っています。これが多くのクリスチャンの悲劇です。

自分を主にささげることは、基本的な行動でなければなりません。続いてわたしは日々、自分を主にささげ続けなければなりません。主が自分を用いられる方法に苦情を言うのではなく、肉が反抗するようなことでさえ、賛美して受け入れなければなりません。

わたしは主のものであり、もはや自分のものとして認めず、あらゆることで神の権威と主権とを認めます。これが神の求めておられる態度であり、この態度を持ち続けることが真の献身です。わたしが自分をささげるのは、宣教士や伝道者になるためではありません。わたしは自分を神にささげ、それが学校であっても、事務所であっても、台所であっても、主が定められる所はどこでも最善の場所と考えて、自分の置かれる所で神のみこころを行ないます。なぜなら、完全に神のものとなった人に臨むのは、善以外のものではあり得ないからです。

わたしたちが絶えず、自分は自分のものではないという感覚を持ちますように。

第七章　永遠の目的

正常なクリスチャン生活をするために、今までわたしたちは、啓示、信仰、献身の必要性について学んできました。しかしわたしたちは、神の定められた目的を知らなければ、なぜこれらの手段が目的を達成するのに必要であるか、理解することはできないでしょう。ですから、内側の経験の問題をさらに学んでいく前に、わたしたちの前に置かれた神聖で偉大な目標を見ることにしましょう。

神の創造の目的は何でしょうか？　また神の贖いの目的は何でしょうか？　これは、ローマ人への手紙の前半と後半にある一つずつの節に要約できるでしょう。すなわち、「神の栄光」(三・二三)と、「神の子供たちの栄光」(八・二一)です。

ローマ人への手紙第三章二三節は、「なぜなら、すべての人は罪を犯したので、神の栄光に欠けており」と言っています。人に対する神の目的は栄光でしたが、罪は人に神の栄光を欠けさせることによって、この目的を妨害しました。わたしたちは罪のことを考える時、自然にそれがもたらす裁きについて考えます。わたしたちは罪を、罪定めと地獄に関連させて考えます。人の観念は常に、罪を犯すなら、刑罰がその人に臨みます。しかし神の思いは常に、人が罪を犯したら栄光を失ってしまうということです。罪を犯した結果、わたしたちは神の栄光を失い、贖いの結果、その栄光を獲得する資格を再び得ます。神の贖いの目的は神の栄光にあります。栄光、栄光、栄光です。

多くの兄弟たちの間の長子

この考察は、わたしたちをローマ人への手紙第八章にもたらします。十六節から十八節、二九節から三〇節が、すべてこの事について言っています。パウロは言います、「その霊ご自身、わたしたちの霊と共に、わたしたちが神の子供たちであることを、証ししてくださいます。そしてもし子供であるなら、相続人でもあります。すなわち、わたしたちが彼と共に栄光化されるために、彼と共に苦しむなら、わたしたちは神の相続人であり、またキリストと共同の相続人です」(八・十六―十七)。また、「なぜなら、神はあらかじめ知っておられた者たちを、御子のかたちに同形化しようと、あらかじめ定められたからです。それは、御子が多くの兄弟たちの間で長子となるためです。そして神はあらかじめ定めた者たちを、さらに召し、そして召した者たちを、さらに義とし、そして義とした者たちを、さらに栄光化されました」(八・二九―三〇)。神の目的は何でしょうか？　それは、御子イエス・キリストが多くの兄弟たちの間で長子となり、彼らがみな彼のかたちに同形化されることです。神はこの目的をどのように実現されたのでしょうか？　「そして義とした者たちを、さらに栄光化してくださいました」。創造と贖いにおける神の目的は、栄光化された多くの子供たちの間でキリストを長子とすることです。わたしたちの多くには、これは最初あまり意味を持たないかもしれませんが、さらに詳細に見てみましょう。

ヨハネによる福音書第一章十四節は、主イエスは神のひとり子であると言っています。「そして言は肉体と成って、わたしたちの間に幕屋を張られた。わたしたちは彼の栄光を見た。それは、父からのひとり子としての栄光であって」。彼が神のひとり子であるとは、神には彼以外に子がなかったことを意味します。彼は永遠において御父と共におられました。しかし神は、キリストがいつまでもひとり子であることに満足されませんでした。神はキリストが長子になることを望まれました。ひとり子は、どのようにして長子になることができるでしょうか？　答えは簡単です。父なる神が、多くの子供たちを持つことによってです。もしあなたに子供が一人しかいなければ、その子供はひとり子です。しかし後ほど他の子供たちができれば、そのひとり子は長子となります。

創造と贖いにおける神の目的は、神が多くの子供たちを得られることです。神はわたしたちを必要とされました。わたしたちがなければ、神は満足されませんでした。しばらく前に、わたしは、有名な小冊子「不安より安心へ」の著者ジョージ・カティングを訪問しました。この九十三歳の老聖徒の前に案内された時、彼はわたしの手を握り、静かに、重々しく語りました、「兄弟、わたしは主がなければ何もできないことをご存じですか？　また主はわたしがなければ何もできないことをご存じですか？」。わたしは彼と一時間以上、共にいましたが、彼は高齢と衰弱のゆえに、継続的な会話をすることは不可能でした。しかしその会話でわたしが忘れることができないのは、彼がしばしば繰り返した二つの質問です。「兄弟、わたしは主がなければ何もできないことをご存じですか？　また主はわたしがなければ何もできないことをご存じですか？」。

「放蕩《ほうとう》息子」の物語を読む時、多くの人は、その息子が出会った多くの困難に印象づけられます。多くの人の思いは、その息子が経た苦況にあります。しかし物語の中心はそこにあるのではなく、「わたしのこの息子が……失われていたのに見つかった」という言葉にあるのです。問題は息子の苦しみではなく、父が失ったものです。苦しみを受けたのは父なる神であり、損失を受けられたのは父なる神です。一匹の羊が失われたのは、だれの損失でしょうか？　羊飼いです。一枚の銀貨が失われたのは、だれの損失でしょうか？　婦人です。一人の息子が失われたのは、だれの損失でしょうか？　御父です。これが、ルカによる福音書第十五章が見せているものです。

主イエスは神のひとり子であるので、彼には兄弟がありませんでした。父なる神が御子を遣わされた目的は、ひとり子が長子となり、愛する御子に多くの兄弟たちを持たせることでした。ここに受肉と十字架の物語の全体があります。神の目的は最終的に、「多くの子たちを栄光へ導き入れる」（ヘブル二・十）ことによって成就されました。

ローマ人への手紙第八章二九節には「多くの兄弟たち」があり、ヘブル人への手紙第二章十節には「多くの子たち」があります。主イエスから見れば「兄弟たち」であり、父なる神から見れば、「子たち」です。この二つの言葉は、文脈から言って円熟した状態を意味します。神は成長した子たちを求めておられます。しかも神は、そこにさえとどまっておられません。なぜなら神は、神の子たちが納屋や車庫や野原などで生きることを望まれないからです。神は、彼らがご自分の家に住むこと、ご自分の栄光にあずかることを望んでおられます。これがローマ人への手紙第八章三〇節、「義とした者たちを、さらに栄光化されました」ということの意味です。子としての権利――御子の全き表現――が、多くの子たちにおける神の目的です。神はどのようにして、この目的を達成されるのでしょうか？　彼らを義とし、そして栄光化されることによってです。神は彼らの取り扱いにおいて、この目的に到達されなければなりません。神は子たちを持ち、それらの子たちが円熟し、責任を担って、彼と共に栄光の中にあるように定められました。神は、栄光化された子たちの住まいとして、天の全部分を備えてくださいました。これが神の贖いの目的です。

一粒の麦

しかし神のひとり子は、どのようにして長子となられたのでしょうか？　ヨハネによる福音書第十二章二四節はその方法を記しています。「まことに、まことに、わたしはあなたがたに言う。一粒の麦が地に落ちて死ななければ、それは一粒のままである。しかし、それが死んだなら、多くの実を結ぶ」。この一粒の麦とはだれでしょうか？　それは主イエスです。全宇宙で、神はただ一粒の麦を持っておられるだけです。神には第二の麦はありません。神はその一粒の麦を土の中に埋められたので、その麦の粒は死に、復活し、その結果ひとり子である麦粒は、長子である麦粒となり、この麦粒から多くの粒が生まれたのです。

神性から言えば、主イエスは唯一、「神のひとり子」ですが、ある意味で復活から永遠にわたって、彼は長子となり、その時から、彼の命は多くの兄弟たちの中に発見されるようになりました。なぜなら、その霊によって生まれたわたしたちは、「神聖な性質にあずかる者」（Ⅱペテロ一・四）とされたからです。もちろんこれは、わたしたちからではなく、わたしたちをキリストの中に置かれた神からです。わたしたちは、「子たる身分の霊を受けたのであり、この霊の中で、わたしたちは『アバ、父よ！』と呼ぶのです。その霊ご自身、わたしたちの霊と共に、わたしたちが神の子供たちであることを、証ししてくださいます」（ローマ八・十五―十六）。主イエスはこれを、受肉と十字架の道によって可能にされました。これが、父なる神のみこころを満足させました。なぜなら、御子が死に至るまで従順であったので、御父は多くの子供たちを得られたからです。

この意味で、ヨハネによる福音書第一章と第二〇章は最も尊い章です。ヨハネは福音書の冒頭で、イエスが「父のひとり子」であったと言っています。しかしこの福音書の終わりで、ヨハネは、主イエスが死んで復活した後、マグダラのマリヤに、「わたしの兄弟たちの所へ行って、『わたしはわたしの父、またあなたがたの父、わたしの神、またあなたがたの神へ昇る』と彼らに言いなさい」（ヨハネ二〇・十七）と言われたことを記しています。その時より前に、主はこの福音書で度々「父」や「わたしの父」と語られました。しかし彼は復活の後、「あなたがたの父」という言葉を付け加えられました。ここで語っておられる方は長子です。彼の死と復活によって、多くの兄弟たちが神の家にもたらされました。ですから、同じ節で、「わたしの兄弟たち」という言葉を用いられたのです。これはまさしく、ヘブル人への手紙第二章十一節が、「彼らを兄弟と呼ぶことを恥とされない」と言っていることです。

アダムが直面した選択

神はエデンの園に多くの木を植えましたが、「園の中央」、すなわち特別な場所に、命の木と善悪の知識の木の二本を植えられました。アダムは創造された時、罪を知りませんでした。彼は善を知りませんでしたし、悪も知りませんでした。例えば、三十歳ほどの人が、善悪の区別をする能力がないとすればどうでしょう！　あなたはそのような人を見て、知的に発育していないと言うでしょう。アダムはまさにそのようでした。神は彼を園へ連れて行き、おそらくこのように言われたでしょう、「園の中には多くの木があり、果実もある。あなたはどの木からでも、心のままに取って食べてよろしい。しかし園の中央に、善悪の知識の木がある。この木の実を食べてはならない。なぜなら、それを取って食べるなら、必ず死ぬからである。しかしそのそばにある木の名前は命であることを覚えていなさい」（参照、創二・十六―十七）。この二本の木にはどのような意義があったのでしょうか？　アダムは、道徳的に中立の存在として造られました。彼は罪もなく、聖《きよ》くもなく、罪について無知でした。神はこの二本の木を置いて、彼が自由に選ぶことができるようにされました。彼は命の木と善悪の知識の木のどちらでも選ぶことができました。

　さて善悪の知識は、アダムに禁じられていましたが、それ自体は悪いものではありません。しかしながら、もしその木がなければ、アダムは道徳問題を自ら決定することにおいて無力なのです。このような判断は彼にはなく、神にあります。アダムはこのような問題に直面した時、彼の取るべき唯一の方法は、その問題をエホバなる神に持っていくことです。このように、エデンの園にある命は、完全に神に依り頼む命であることを、あなたは見ます。ですから、この二本の木は、二つの極めて大きな原則を象徴しています。それらは二種類の命、すなわち神の命と人の命を代表します。「命の木」は神ご自身です。なぜなら、神は命であるからです。神は命の最高の形であり、また命の源と目的でもあります。「実」という言葉は何でしょうか？　それはわたしたちの主イエス・キリストです。木は食べられなくても、実は食べられます。人は神を、神であるまま受け入れることはできませんが、主イエスを受け入れることができます。実は木の食べられる部分であり、受け入れることができる部分です。ですから、敬愛な思いで言わせていただきたいのですが、主イエスは、わたしたちが受け入れられるかたちの神です。キリストにある神を、わたしたちは受け入れることができます。

もしアダムが命の木の実を食べたなら、神の命にあずかり、神の「子供」となったでしょう。なぜなら、彼は内側に神から受けた命を持つからです。このようにして神の命は人と結合し、人類はみな神の命を持ち、絶えず神に信頼して生きていたでしょう。その反対に、アダムは善悪の知識の木の実を食べたので、神から離れて、天然の傾向によって、人として成長します。ところが、このような自給自足的な存在として、そのような人は自分で判断する能力を持ちますが、神からの命は持たないのです。

アダムはこの選択に直面しました。その霊の道、服従の道を選ぶことによって、彼は神の「子供」となり、神に信頼して生きることができました。その反対に、彼は天然の道を取って、自己を発展させ、独立した人となり、神から離れて判断し、行動することもできました。人類の歴史は、アダムがなした選択の結果です。

アダムの選択が十字架の理由である

アダムは善悪の知識の木を選んだので、独立の立場を取りました。彼はこうして、現在の人たちが思っているように、「十分に成長した」人となりました。彼は知識を働かせ、自分で決定し、止まることも進むこともできました。その時から、彼は「賢く」なりました(創三・六)。しかし、彼にとってその結果は命ではなく、死でした。なぜなら、彼の選択は彼をサタンの共謀者とし、こうして彼は自らを神の裁きの下に置いたからです。こういうわけで、彼は命の木に近づくことを禁じられたのです。

アダムの前に、命の二つの面が置かれていました。一つは神に依り頼む神聖な命、もう一つは独立の力を持つ人の命です。アダムが後者を選んだことは罪でした。なぜなら、彼はそれによってサタンと共謀して、神の永遠の目的に反抗したからです。彼は神を離れて自力で成長する道を選びました。彼はおそらく、とても優れた人となり、自分の標準からすれば、「完全な人」になろうとしたのでしょう。しかしその結果は死でした。それは、彼が自分の中に神の目的を実現するのに必要な神の命を持たず、神から「独立した」敵の手先となることを選んだからです。こうして、わたしたちはすべてアダムの中で、罪人となり、アダムと同じようにサタンの支配下に置かれ、罪と死の法則に服し、神の怒りを受ける者となりました。

この点から、主イエスの死と復活がなぜ必要であるかを見ることができます。また、真の献身、すなわち自分が罪に死に、キリスト・イエスの中で神に生きていることを認めること、そして死人の中から復活させられた者として自分を神にささげることに対する理由を見ることができます。わたしたちはみな十字架に行かなければなりません。なぜなら、生まれながらわたしたちの中にあるのは自己の命であり、罪の法則の支配の下にあるからです。アダムは神の命を捨て、自分の命を選んだので、神はアダムの中にあるものをすべて集めて、一掃されなければなりませんでした。わたしたちの「古い人」は十字架につけられました。神はわたしたちすべてをキリストの中に置き、キリストを最後のアダムとして十字架につけられました。こうして、アダムに属するすべてのものは過ぎ去りました。

その後、キリストは、新しい形において復活されました。彼はなおも体を持っておられましたが、それはもはや「肉にある」ものではなく、「その霊にある」ものでした。「最後のアダムは、命を与える霊と成ったのです」（Iコリント十五・四五）。主イエスは今や復活の体、霊の体、栄光の体を持っておられます。そして彼はもはや肉にあるのではないので、現在すべての人によって受け入れられるのです。イエスは、「わたしを食べる者も、わたしのゆえに生きる」（ヨハネ六・五七）と言われました。ユダヤ人は主の肉を食べ、主の血を飲むという思想を嫌悪しました。しかし、もちろん彼は、その時はまだ肉体におられたので、彼らがイエスを受け入れることはできませんでした。しかし今や彼は霊であるので、わたしたちはみな彼を受け入れることができます。また彼の復活の命にあずかることによって、わたしたちは神の子供たちとなります。「すべて彼を受け入れた者……に、彼は神の子供たちとなる権威を与えられた。彼らは……神によって生まれたのである」（ヨハネ一・十二―十三）。

神は、外側でわたしたちの命を改善しようとしておられません。神は、わたしたちをある一定の洗練された状態に置こうとしておられるのでもありません。なぜなら、この命は根本的に間違っているからです。神はこのような間違った命の中で、人を栄光へともたらすことはできません。神は新しい人、新しく生まれた人、神によって生まれた人を持たなければなりません。再生と義認は同時に進んでいくものです。

御子を持つ者は命を持つ

命には各種の等級があります。人の命は、下等動物の命と神の命の中間にあります。高等な命、あるいは下等な命とわたしたちを隔てている溝に、橋をかけることはできません。また神の命とわたしたちの間の距離は、下等動物の命とわたしたちの間の距離よりもはるかに大きいのです。

わたしは中国で、ある時、病床にあったキリスト教の指導的な人を訪問しました。今ここで彼を「王氏」と呼ぶことにします(もちろんこれは彼の本当の名前ではありません)。彼は博学の人で哲学博士でした。彼の道徳的な生活は全中国において尊敬の的となっており、また彼は長年、キリスト教の事業に携わっていました。しかし彼は再生を信じないで、人々に単なる愛と善行の社会的な福音を宣べ伝えていました。

わたしが訪問した時、王氏の愛犬が床のそばにいました。わたしは神についての事柄と、わたしたちの中での神の働きについて話した後、その小犬の名前を尋ねました。彼は、その名は「フィドー」だと言いました。そこでわたしは、「それは姓ですか、それとも名ですか?」と尋ねました。すると彼は、「フィドーというのはただ彼の名前です」と言いました。そこでわたしは、「それでは王フィドーさんと呼んでいいですか?」と聞きました。彼は、「とんでもないことです!」と強く言いました。わたしは言いました、「この犬はあなたの家の中に住んでいるのですから、王フィドーでもいいではありませんか? あなたの二人のお嬢さんは王さんとおっしゃるでしょう? それでは、一緒に住んでいるあなたの愛犬を、どうして王さんと言ってはならないのですか?」。博士は笑いましたが、わたしは続けて言いました、「わたしの言っていることがおわかりでしょうか? お嬢さんたちはあなたの家に生まれたので、あなたの姓を持っておられます。それは、あなたがお二人に命を与えたからです。ところで、あなたの愛犬はとても利口で行儀の良いすばらしい犬かもしれませんが、問題は、それが良い犬か悪い犬かではなく、犬であるかどうかです。

あなたの家族の一員から除外されるためには、別に悪くなる必要はありません。ただ犬であるという理由で、家族の一員になれないのです。同じ原則が、あなたと神との関係についてもあてはまります。問題は、あなたが悪い人か善い人かではなく、あなたが人であるかどうかです。もしあなたの命が神の命よりも低いのであれば、あなたは神の家族に加わることはできません。今までのあなたの宣べ伝えの目的は、悪人を善人にすることでした。しかし人であるからには、善くても悪くても、神との命の関係を持つことはできません。人としてのわたしたちの唯一の望みは、神の御子を受け入れることです。そのようにする時、わたしたちの中にある彼の命は、わたしたちを神の子たちとさせるのです」。博士はこの真理についてはっきりし、その日、神の御子を心に受け入れて、神の家族の一員となりました。

わたしたちが今日キリストの中で得ているものは、アダムが失ったものよりも大きいのです。アダムは成長した人にすぎません。彼はその領域にとどまり、神の命を得ることができませんでした。しかしわたしたちが神の御子を受け入れる時、ただ罪の赦しを受けるだけでなく、エデンの命の木で代表される神の命も受けるのです。わたしたちは再生によって、アダムが持たなかったものを受け、彼が失ったものを得るのです。

すべてひとりの方から出ている

神は、子たちがキリストと共に栄光の中で、共同の相続人となることを願っておられます。それが神の目的ですが、神はどのようにしてその目的に到達することができるでしょうか？　ヘブル人への手紙第二章十節から十一節を見てみましょう。「万物がその方のために存在し、万物がその方を通して存在する方が、多くの子たちを栄光へ導き入れるのに、彼らの救いの創始者を、苦難を通して完成されるのは、彼にふさわしいことでした。聖別する方と、聖別されつつある者たちは、すべてひとりの方から出ているのであり、それゆえに主は、彼らを兄弟と呼ぶことを恥とされないで」。

ここで二つの部類について語っています。すなわち、「多くの子たち」と「彼らの救いの創始者」です。別の言い方をすれば、一方は「聖別する方」であり、もう一方は「聖別されつつある者たち」です。しかし、この両者は「すべてひとりの方から出ている」のです。主イエスは人として、神から命を受け、またわたしたちも神から新しい命を受けます。イエスは「聖霊から」生まれたのであり(マタイ一・二〇)、わたしたちも「霊から生まれ」(ヨハネ三・五)、「神によって生まれ」(ヨハネ一・十三)ました。ですから神は、わたしたちは「すべてひとりの方から出ている」と言われるのです。長子と多くの子たちは一つの命の源から出ています。あなたは、今日わたしたちが神と同じ命を持っていることを知っているでしょうか? 神がこの地上でわたしたちに分け与えた命は、神が天で持っておられる命です。これこそ尊い「神の賜物」(ローマ六・二三)です。ですから、わたしたちは聖なる生活をすることができるのです。わたしたちが持っている命は改良された自分の命ではなく、わたしたちに与えられた神の命です。

この永遠の目的を思い巡らす時、罪という問題が究極的に姿を消すことに、注意されたでしょうか? 罪にはもはや地位はありません。罪はアダムによって進入してきました。それがたとえ対処されたとしても、わたしたちは、かつてアダムがいた所に連れ戻されるにすぎません。しかし、わたしたちを再び神の目的と関連させることによって——命の木に近づく権利を回復することによって——贖いは、アダムが持ったものよりもはるかに多くをわたしたちに与えました。贖いはわたしたちを、神ご自身の命にあずかる者としました。

第八章　聖霊

わたしたちはすでに見てきましたが、神の永遠の目的は、わたしたちに対する神の取り扱いの動機と説明です。わたしたちはローマ人への手紙にあるクリスチャン経験の各段階をもう一度見る前に、再び本題を離れて、わたしたちのあらゆる経験においてわたしたちの命と奉仕を効力あるものとする欠くことのできない力について、考察しなければなりません。それは、聖霊の臨在と務めです。

ここにおいても、ローマ人への手紙の前半と後半から、それぞれ取り出した二つの節を出発点としましょう。一箇所は第五章五節です。「わたしたちに与えられている聖霊を通して、神の愛がわたしたちの心の中に注がれているからです」。もう一箇所は第八章九節です、「もしだれでもキリストの霊を持たないなら、その人はキリストのものではありません」。

神は気まぐれに、また任意に賜物を与えることはされません。神は賜物を無代価で与えますが、はっきりとした根拠の下に与えられます。神は真に、「キリストの中で、天上にある霊のあらゆる祝福をもって、わたしたちを祝福」してくださいました(エペソ一・三)。しかしキリストの中でわたしたちのものであるこれらの祝福が、経験においてわたしたちのものとなるためには、それがどのようにして可能となるかを知る必要があります。

聖霊の賜物について考察する時、その霊の注ぎ出しとその霊の内住を考えることが助けになると思います。現在の目的は、どのような根拠によって、聖霊の二重の賜物がわたしたちのものとなるかを理解することです。このように、神の働きの外側の現れと内側の現れとを区別することは有益であり、これからの学びに助けとなるでしょう。さらに、両者を比較する時、聖霊の内側の活動がより尊いという結論に達せざるを得ないでしょう。しかし、だからといって、外側の活動が大切でないというのでは決してありません。なぜなら、神は彼の子供たちに良い賜物だけを与えられるからです。不幸なことに、わたしたちは与えられている権利が多いために、容易にそれらを軽視します。旧約時代の聖徒たちは、わたしたちのような祝福はなく、注がれた聖霊の賜物の尊さをわたしたち以上に感じました。その当時、その賜物はわずかな選ばれた人たち、おもに祭司、士師、王、預言者にしか与えられなかったのですが、今は神の子供たちすべてに与えられています。考えてみてください！　取るに足りないわたしたちが、神の友モーセ、愛された王ダビデ、偉大な預言者エリヤの上にとどまったのと同じ聖霊を、受けることができるのです。注がれた聖霊の賜物を受けることによって、わたしたちは、旧約時代の神に選ばれたしもべの群れに加えられます。この神の賜物の価値を知り、わたしたちがそれをどれほど必要とするかを知るなら、直ちにわたしたちは、霊の賜物をもってわたしたちを武装させ、奉仕のために力を与える聖霊はどのようにして受けることができるかと問うに違いありません。それでは、何の根拠によって、神はその霊を彼の子供たちに与えられるのでしょうか？

聖霊の注ぎ出し

まず、使徒行伝第二章三二節から三六節を見て、これを少し考えてみましょう。

「このイエスを、神は復活させました。わたしたちはみな、そのことの証し人です(三二節)。彼は神の右に引き上げられ、父から約束された聖霊を受けて、あなたがたが見聞きしているものを、注ぎ出されたのです(三三節)。ダビデは天に昇りませんでしたが、彼自ら言っています、『主はわたしの主に言われた。わたしの右に座していなさい(三四節)。わたしがあなたの敵を、あなたの足の足台にするまで』(三五節)。こういうわけで、イスラエルの全家は、確かに知っておきなさい。あなたがたが十字架につけたこのイエスを、神は主またキリストとされたのです(三六節)」。

三四節と三五節をしばらく脇《わき》へ置いておき、まず三三節と三六節を考えたいと思います。三四節と三五節は詩篇百十篇の引用であり、実は挿入句です。ですから、今この箇所を考えないほうが、ペテロの主張がよくわかるでしょう。三三節で、ペテロは主イエスが「神の右に引き上げられ」たと言っていますが、その結果はどうであったでしょうか？　イエスは「父から約束された聖霊を受け」られました。それに続いて何が起こったでしょうか？　ペンテコステの奇跡です！　主が引き上げられた結果が、「あなたがたが見聞きしている」ことでした。

その霊がまず主イエスに与えられ、そして神の民に注がれました。それは何の根拠によったのでしょうか？　それは主イエスが天に引き上げられたことに基づいています。この節は、イエスが引き上げられたために聖霊が注ぎ出されたことを明らかにしています。聖霊が注ぎ出されたことはわたしたちの功労によるのではなく、ただ主イエスの功労によります。ここで、わたしたちが何であるかは問題ではなく、主イエスが何であるかが問題です。彼が栄光を受けられたので、聖霊が注ぎ出されたのです。

主イエスが十字架で死なれたので、わたしは罪の赦しを受けました。主イエスが死人の中から復活されたので、わたしは新しい命を受けました。主イエスが父なる神の右に引き上げられたので、わたしは注ぎ出された聖霊を受けました。すべては主のゆえであり、何一つわたしにはよりません。罪の赦しは人の功労によるのでなく、主の十字架によります。再生も人の功労によるのではなく、主の復活によります。聖霊が与えられたのも人の功労によるのではなく、主が引き上げられたことによります。聖霊が注がれたのは、わたしたちがいかに偉大であるかを証明するためではなく、神の御子の偉大さを証明するためです。

今度は三六節を見てみましょう。ここで、特に注意する必要のある言葉があります。それは「こういうわけで」という言葉です。この言葉は、普通どのような場合に用いられるでしょうか？　これは、一つの文章の前に置かれるのではなく、すでに述べた言葉の後に置かれます。すなわち、この言葉が使われている時は常に、以前に言われたことを暗示しています。この場合の「こういうわけで」は、どの部分を受けているのでしょうか？　何を接続しているのでしょうか？　この接続詞は明らかに三四節や三五節ではなく、三三節と関係があります。ペテロは「あなたがたが見聞きしている」聖霊の注ぎ出しについて述べ、そしてすぐに「こういうわけで、イスラエルの全家は、確かに知っておきなさい。あなたがたが十字架につけたこのイエスを、神は主またキリストとされたのです」と言っています。ペテロは聴衆に、実はこう言ったのです、「あなたが見聞きしているこの聖霊の注ぎ出しは、あなたがたが十字架につけたナザレ人イエスが、今や主となりキリストとなっておられることを証明します」。聖霊が地に注がれたことは、天で行なわれたこと、すなわちナザレ人イエスが神の右に引き上げられたことを証明しました。ペンテコステの目的は、イエス・キリストが主であるのを証明することです。

ヨセフという名の若者がいて、父にとても愛されていました。ある日、このヨセフが死んだことが父ヤコブに伝えられ、そのためにヤコブは長年にわたって息子の死を悲しみました。しかしヨセフは墓にいたのではなく、栄光と権勢の地位に置かれていました。ヤコブは長い間ヨセフの死を悲しんでいましたが、突然、ヨセフがエジプトで高官の地位にいるという知らせが伝えられました。ヤコブは初め、信じることができませんでした。信じるにはあまりにもうれしい知らせであったのです。しかしついに彼は、ヨセフが高く上げられたことが事実であることを納得しました。どうしてでしょうか？　それは、ヤコブが出かけて、ヨセフから送られてきたエジプトの車を見たからです。

この車は何を意味するのでしょうか？　それは確かに聖霊を代表します。彼が遣わされたのは、神の御子が栄光の中におられることを知らせ、またわたしたちを栄光にもたらすためです。どのようにして、約二千年前に悪人によって十字架につけられたナザレ人イエスが、単なる殉教の死を遂げたのではなく、今や栄光の中で父なる神の右に座しておられるのを知ることができるでしょうか？　どうして、彼が主の主、王の王であるのを、確実に知ることができるでしょうか？　わたしたちはそれを、神がわたしたちにその霊を注がれたことによって、明確に知ることができます。ハレルヤ！　イエスは主です！　イエスはキリストです！　ナザレ人イエスは主でありキリストです！

主イエスが引き上げられたことが、その霊が下って来たことの根拠です。主イエスは栄光を受けられましたが、あなたがその霊を受けなかったということがあり得るでしょうか？　あなたは何の根拠によって、罪の赦しを受けたのでしょうか？　それはあなたが熱心に祈ったとか、聖書を端から端まで読んだとか、集会に休まず通ったという理由によるのでしょうか？　いいえ、絶対に違います！　それでは何の根拠によって、あなたの罪は赦されたのでしょうか？「血を流すことがなければ、赦しはありません」（ヘブル九・二二）。罪の赦しの唯一の根拠は、血が流されたことです。尊いキリストの血が流されたので、あなたの罪は赦されたのです。

わたしたちが聖霊を受けることは、罪の赦しを受けることと原則は全く同じです。キリストが十字架につけられたので、わたしたちの罪は赦されました。主が栄光を受けられたので、聖霊がわたしたちの上に注ぎ出されました。神の御子が血を流されたにもかかわらず、神の愛する子供であるあなたの罪が赦されていないことがあり得るでしょうか？　絶対にあり得ません！　それでは、神の御子が栄光を受けられたにもかかわらず、あなたが聖霊を受けていないことがあり得るでしょうか？　絶対にあり得ません！

ある人は、こう言うかもしれません、「その事は承知しているのですが、そのような経験がないのです。わたしは、何も持っていないことを十分に知っているのに、すべてのものを持っていると言うことができるでしょうか？」。もちろんできません。わたしたちは、客観的な事実だけで満足してはなりません。主観的な経験も必要です。しかし神の事実に頼らなければ、その経験を持つことはできません。神の事実がわたしの経験の根拠です。

再び義認の問題に戻りましょう。あなたはどのようにして、義とされたのでしょうか？　それは何かをすることによるのではなく、主がすべてをなされたという事実を受け入れることによります。聖霊が与えられるのも、義認と完全に同じ方法によります。すなわち、あなたが何かをすることによるのではなく、主がすでになされたことを信じることによります。

もしこの経験に欠けているなら、聖霊のバプテスマ、すなわち、引き上げられた主がご自身の召会に与えられた賜物という永遠の事実に関して、神に啓示を求めなければなりません。一度その啓示を見れば、努力はやみ、祈りは賛美に変わるでしょう。罪の赦しを得ようとするわたしたちの努力は終わりました。なぜなら、主が世のためになされた啓示が与えられたからです。同じ原則で、主がご自身の召会のために何をなされたかという啓示が、聖霊のバプテスマを得ようとするわたしたちの努力を終らせます。わたしたちが努力するのは、キリストのみわざを見ていないからです。しかし、ひとたびキリストのみわざを見た時、わたしたちの心に信仰がわき上がり、わたしたちが信じる時、経験が伴います。

ある時、福音にとても反対していたある青年が、救われました。彼は救われて五週間後、上海でのわたしの一連の集会に参加していました。最後の日、わたしが語ったのはその霊の注ぎ出しについてでした。彼は家に帰った後、熱心にこう祈り始めました、「主よ、わたしは聖霊の力を真に必要としています。あなたはすでに栄光を受けておられますから、今あなたの霊をわたしに注いでください」。しかし彼は言い直して、再び祈り始めました、「主よ、間違いました。主イエスよ、わたしとあなたは命を分け合った間柄です。

御父はわたしたちに二つのことを約束してくださいました。それは、あなたに与えられた栄光と、わたしに与えられたその霊です。あなたはすでに栄光を受けられました。ですから、わたしには、聖霊が与えられていないと考えることはできません。主よ、あなたを賛美します！　あなたはすでに栄光を受けられ、わたしはすでにその霊を受けました」。その日から、彼ははっきりと聖霊の力を自分の上に感じました。

秘訣は信仰である

わたしたちが赦されたことと聖霊を得たことは、信仰を唯一の根拠とします。いったん十字架上の主イエスを見るなら、わたしたちは罪が赦されたことを知ります。またいったん御座におられる主イエスを見るなら、聖霊が注ぎ出されたことを知ります。聖霊が与えられることの根拠は、祈りや断食や待ち望むことにあるのでなく、キリストが引き上げられたことによります。神を待ち望むことを強調し、その意味での「待望会」を行なう人たちは、わたしたちを迷わせるだけです。なぜなら、神の賜物は少数の者のためではなく、すべての者のためであるからです。それはわたしたちが何であるかということではなく、キリストがどのような方であるかという根拠によって与えられるのです。聖霊が注ぎ出されたのは、主のすばらしさと偉大さを証明するためであって、わたしたちのすばらしさと偉大さを証明するためではありません。

キリストが十字架につけられたので、わたしたちの罪は赦されました。キリストが栄光を受けられたので、わたしたちは上からの力を着せられたのです。これは完全に主によります。

例えば、ある未信者が救われたいと表明すれば、あなたは救いの道を説明し、その人と共に祈るでしょう。彼が、「主イエスよ、わたしはあなたがわたしのために死なれたこと、そしてわたしのすべての罪を清められたことを信じます。わたしは心から、あなたがわたしを赦してくださることを信じます」と祈ったなら、あなたは、その人が救われたという確信を持つことができるでしょうか？　いつあなたは、その人が真に再生されたという確信を持つでしょうか？　彼が「主よ、わたしはあなたがわたしの罪を赦されることを信じます」と祈った時ではなく、「主よ、あなたを賛美します。あなたはわたしの罪を赦し、わたしのために死んでくださいました。ですから、わたしの罪は清められています」と祈った時です。祈りが賛美に変わる時、あなたはその人が救われたことを信じます。それは、彼が赦されることを主に求めるのをやめ、小羊の血が流されたので、赦しのみわざがすでになされたことを確信して主を賛美する時です。

同じように、あなたが祈りをもって長年の間待ち望んでも、その霊の力を経験することはできません。しかしあなたが、その霊を注ぎ出してくださいと願うことをやめ、主イエスが栄光を受けられたので、その霊がすでに注ぎ出されていることを信じ、賛美する時、あなたは問題が解決されていることを発見します。神を賛美します！　神の子たちはだれ一人、その霊を受けようとして苦しんだり、待ち望んだりする必要はありません。イエスは、これから主となられるのではありません。彼は主です。ですから、わたしはこれから聖霊を受けるのではなく、すでに受けたのです。これは完全に信仰の事柄であり、信仰は啓示によって生じます。わたしたちの目が開かれて、イエスがすでに栄光を受けておられるので、その霊がすでに注ぎ出されていることを見る時、心の中でわたしたちの祈りは賛美に変わるのです。

すべての霊の祝福は、一つのはっきりした根拠に基づいています。神の賜物は価なしに与えられますが、わたしたちがある条件を果たしてはじめて、それを受けることができます。聖霊が注がれる条件は、聖書の中に明記されています。「悔い改めなさい。そして、あなたがたの罪が赦されるために、イエス・キリストの御名の上にバプテスマされなさい。そうすれば、あなたがたは聖霊を賜物として受けます。なぜならこの約束は、あなたがたにも、あなたがたの子供たちにも、遠く離れているすべての人、わたしたちの神なる主がご自身に召しておられるすべての人にも、与えられているからです」(使徒二・三八―三九)。

ここに四つの事が記されています。それは悔い改め、バプテスマ、赦し、聖霊です。最初の二つは条件であり、後の二つは賜物です。罪の赦しを受けるために、わたしたちが果たすべき条件は何でしょうか？御言葉によれば、悔い改めとバプテスマの二つです。

第一の条件は悔い改めです。これは思いの転換を意味します。以前わたしは、罪を楽しいものであると思いましたが、今は罪についての思いが変わりました。以前この世はとても魅力的であると思いましたが、今はもっとすばらしいものを知っています。以前クリスチャンであるのはとても惨めなことだと思いましたが、今は完全に違った考えを持っています。以前あるものは喜ばしいと考えましたが、今はそれらのものを忌むべきものと考えています。かつてはあるものが無価値なものであると思いましたが、今は最も尊いものと考えています。これが思いの転換であり、悔い改めです。このような思いの転換がなければ、人の命は真に変えられることができません。

第二の条件はバプテスマです。バプテスマは内側にある信仰の外側の表明です。自分がキリストと共に死に、彼と共に葬られ、彼と共に復活させられたことを心から信じた時、わたしはバプテスマを求めます。

それによって、わたしは個人的に信じたことを公に宣告します。バプテスマは行動に現された信仰です。

神によって定められた二つの赦しの条件があります。それは悔い改めと、表明された信仰です。あなたは悔い改めたでしょうか？　あなたは主との結合を証ししたでしょうか？　次にあなたは、罪の赦しと聖霊の賜物を受けたでしょうか？　あなたは第一の賜物を受けただけで、第二の賜物は受けていないと言うかもしれません。しかし、もしあなたが二つの条件を果たしているなら、神はあなたに二つのものを与えておられます！　なぜあなたは一つだけを受けたのでしょうか？　第二のものについては、どうしているのでしょうか？

例えば、わたしが書店に行き、十シリングする上下二巻の本を買い求め、不注意にもカウンターの上に一冊を忘れて外に出たとします。わたしが帰宅して気がつけば、どうするでしょうか？　わたしは直ちに書店へ戻り、忘れた本を受け取るでしょう。その時わたしは、忘れた本のためにさらに支払うようなことは考えないでしょう。ただ店の人に、二巻の代金をすでに払ったことを説明し、第二の本を渡してくださいと言うでしょう。そしてわたしは、それ以上払わないで、本をかかえて楽しく店を出るでしょう。このような場合、あなたもわたしと同じようにするのではないでしょうか？

ところで、あなたは今これと同じ状況にあります。あなたが条件を果たしたなら、一つではなく、二つの賜物を受ける資格があります。あなたは一つを受け取りました。なぜ来てもう一つのものを受け取らないのですか？　主にこう言いなさい、「主よ、わたしは罪の赦しと聖霊の賜物を受ける条件を果たしました。しかし、愚かにも、前者しか受け取りませんでした。今、聖霊の賜物を受け取るためにあなたに戻って来ました。このことのゆえにあなたを賛美します」。

経験の多様性

しかしあなたは、「聖霊が自分の上に下ったことを、どのようにして知ることができるでしょうか?」と尋ねるかもしれません。それをどのようにして知るかは説明できませんが、あなたは必ず知ります。弟子たちがペンテコステの時、彼ら個人の感覚と感情がどうであったのか、聖書は告げていません。どのように感じたかはわかりませんが、彼らの感情と行動は、幾らか異常なものであったことはわかります。なぜなら、彼らを見た人たちが、彼らは酒に酔っていると言ったからです。聖霊が神の子たちに下る時、世の人には説明できない事が起こるでしょう。超自然的な現象が起こるかもしれません。それは、神の臨在の圧倒するような感覚にすぎません。しかしわたしたちは、このような外側の表現を伴う特殊な経験を要求することはできませんし、またそうすべきでもありません。しかし一つの確かなことがあります。それは、その霊の注ぎ出しを受けた人は、みなそれを知るということです。

ペンテコステの時、聖霊が弟子たちに臨んで、彼らの行動はとても特別でした。ペテロは目撃者たちに、神の言葉をもって説明しようとしました。ペテロの言葉は次のように要約されます。「これは預言者ヨエルによって語られたことなのです。『神は言われる。終わりの日には、わたしの霊をすべての肉の上に注ぎ出す。あなたがたの息子と娘は予言をし、若者たちは幻を見、老人たちは夢を見る』」(使徒二・十六―十七)。ペテロはその日、予言をしたでしょうか？　その日、ペテロはヨエルのようには予言しませんでした。百二十人の人は予言したり、幻を見たりしたでしょうか？　聖書はそのように告げていません。彼らは夢を見たでしょうか？　全員目が覚めているのに、夢を見ることはできないはずです。それでは、ペテロはなぜこのような、その場に全く当てはまらないように思える御言葉を引用したのでしょうか？　その意味はどこにあるのでしょうか？　ペテロが引用したヨエル書第二章二八節から二九節には、聖霊が注ぎ出される時、予言、夢、幻が伴うと記されています。しかしこれらのものは、ペンテコステでは明らかに欠けていました。

もう一方で、ヨエルは「激しい風が吹いてきたように、天から音が聞こえ」たことや、「火のような舌が彼らに現れ、それが分かれて彼らめいめいの上にとどまった」ことが、聖霊の注がれる時に伴うとは語っていません。しかしこれらのことは、彼らが集まっていた場所で現れました。またヨエル書には、さまざまな言語で語ることについては、どこにも書いていません。しかしペンテコステにおいて、弟子たちはそのような経験を持ったのです。

ペテロは何を言おうとしたのでしょうか？　ペンテコステにおいて、ヨエルが述べた現象が何も起こっていないのに、ペテロは神の言葉を引用して、ペンテコステの経験がヨエルによって語られたその霊の注ぎ出しであることを示したのです。聖書が記していることを弟子たちは経験せず、聖書が記さなかったことを弟子たちは経験したのです！　ですから、ペテロの聖書からの引用は、彼の主張を証明するというより、むしろそれに反駁しているように思えます。この奥義をどのように説明したらよいのでしょうか？

ペテロは、聖霊の支配の下で語ったことを覚えていてください。使徒行伝は聖霊の感動によって書かれたものであり、一句もでたらめに語られたのではありません。そこには一つとしてふさわしくないものはなく、完全な調和があります。ペテロは、「今あなたがたが見聞きしていることは、預言者ヨエルによって語られた預言を成就している」と言わないで、「これは預言者ヨエルによって語られたことなのです」(使徒二・十六)と言っていることに注意してください。成就ではなく、同じ種類の経験を言っているのです。「これはそれである」とは、「今、見聞きしていることは、予言された事と同じ種類のものである」ということを意味します。成就の場合、一つ一つの経験が再現され、予言は予言、夢は夢、幻は幻となって現されるべきです。しかしペテロが「これはそれである」と言う時、それは一つの事が別の事と重複することではなく、一つの事が他の事と同じ部類であることを意味します。「これ」は「それ」とほとんど同じものである、「これ」は「それ」に相当するというのが、「これはそれである」ということの意味です。ここで、ペテロを通して聖霊が強調していることは、経験の多様性です。外側の表現は多く、それぞれ異なり、時には異様なものと認めなければならないこともあるでしょう。しかしその霊は一つであり、彼は主です(参照、Ｉコリント十二・四―六)。

Ｒ・Ａ・トレイが、長年牧師を勤めた後、聖霊がどのようにして下って来たかを、彼自身の言葉を借りて説明しましょう。

「わたしは書斎でひざまずいて祈っていました。今でもその場所をはっきり覚えています……とても静かな、今まで経験したことのないほど静かな時でした……その時、神は、耳に聞こえる声ではなく、心の中でこう言われました、『これはあなたのものです。さあ、行って宣べ伝えなさい』。神はすでに、ヨハネの第一の手紙第五章十四節から十五節で、その御言葉をわたしに語っておられたのですが、その時は今ほど聖書をよく知らなかったので、神はわたしの無知をあわれみ、直接わたしの心に語りかけてくださいました……わたしは行って宣べ伝えました。その日以来、今日に至るまで、わたしは新しい奉仕者として生きてきました……この経験の後(それがどれほどたってからかは覚えていませんが)、ある日、わたしは自分の部屋で座っていました。その時……突然……わたしは自分が大声で叫んでいるのに気づきました(わたしは叫ぶように教育されてきませんでしたし、そのような性格でもありませんでした。しかし、最も大きな声で叫ぶメソジスト派の人たちのように叫びました)『神に栄光あれ、神に栄光あれ、神に栄光あれ』と繰り返して叫んだのです。そう叫ぶことをとどめることはできませんでした……しかし、その時わたしは聖霊のバプテスマを受けたのではありません。わたしは神の御言葉を素直に信じた時、聖霊のバプテスマを受けたのです」。

トレイの場合、外側の現れは、ヨエルやペテロによって記されている場合とは違っています。しかし、「これこそまさに預言者ヨエルの語ったもの」なのです。そっくりそのものではありませんが、同じようなものです。

D・L・ムーディーは、彼の命と務めを造り変えるために聖霊が下った時、どのように感じ、どのように振る舞ったでしょうか?

「わたしはいつも、神が聖霊でわたしを満たしてくださるようにと、涙のうちに絶えず祈っていました。ある日(何という記念すべき日であったでしょう!)、ニューヨークですばらしいことが起こりました。それは口では言い表せない、またほとんど口外しない経験でした。それは口にするにはあまりにも神聖な経験でした。パウロにも、十四年間語らなかったという経験がありました。しかし、ただこれだけのことは言えます。それは、神がご自身をわたしに啓示してくださったことです。そして神の愛があまりにも大きかったので、御手をとどめてくださいと祈らざるを得ませんでした。わたしは再び宣べ伝えるために出かけました。宣べ伝えたことは今までのものと違っていませんでした。新しい真理を述べたわけでもありません。しかし何百人もが悔い改めました。たとえわたしに全世界が与えられたとしても、わたしはあの尊い経験をする前の状態には帰らないでしょう。全世界といえども、その経験に比べると、ちりにすぎません」。

ムーディーの経験に伴う外側の現れは、ヨエル、ペテロ、トレイの述べたものと同じではありません。しかし、ムーディーの経験が、ペンテコステで弟子たちの経験した経験でなかったと、だれが言えるでしょうか？　彼らの経験は外側では同じでなくても、本質的には同じでした。

チャールズ・フィニーに聖霊が下った時の経験はどうでしょうか？

「わたしは全く予期していない時に、偉大な聖霊のバプテスマを受けました。わたしのためにこのようなすばらしいものが備えられていることを、思ったことさえありませんでした。人の口からそのようなことがあることを、聞いたことさえありませんでした。その時、わたしの体と魂を貫くように、聖霊がわたしに下りました。わたしの心に注がれたあのすばらしい愛は、とうてい言葉で表現することができません。わたしは喜びと愛に満たされて大声で泣きました」。

フィニーの体験は、ペンテコステの複製ではありませんでした。また、トレイやムーディーのものとも違っていました。しかし彼の経験は、確かにペンテコステの経験でした。

聖霊が神の民の上に注ぎ出された時、それぞれの経験は大いに異なります。ある人は新しいビジョンを見、ある人は心を引き付けられて新しい自由を見いだし、ある人は新たな力をもって神の言葉を語り、ある人は、天の喜び、あるいはあふれる賛美に満たされます。どのような状態であれ、彼らの経験はすべてペンテコステの経験です。キリストが引き上げられたことに基づくすべての新しい経験、また「これ」は「それ」であると真に言い得る経験について、主を賛美しましょう。神の子供たちに対する神の取り扱いには、一定の方法というものはありません。ですから、わたしたちは偏見や先入観で、自分や他の人の生涯におけるその霊の働きに関する固定した規則を作ってはなりません。この原則は、その霊が下った証拠としてある特別な現れ(例えば異言など)を要求する人にも、またそのような現れはいっさい与えられないという人にも、同じように適用されるべきです。わたしたちは、神がみこころのままに働かれるようにすべてをゆだね、現れについてすべてをみこころに任すべきです。彼は主であるので、わたしたちは何も言う権利はありません。

イエスが御座におられることを喜び、そのために彼を賛美しましょう。なぜなら、イエスは栄光を受けられたので、その霊がわたしたちすべてに注ぎ出されたからです。彼を仰ぎ見て、素直な信仰で神聖な事実を受け入れる時、わたしたちは自分の心の中で、大きな確信をもってその事実を知るでしょう。その結果、「これはそれだ!」と大胆に宣言するでしょう。

その霊の内住

次に、聖霊の働きの第二の面について学びましょう。これは次の章で学ぶように、ローマ人への手紙第八章における主要な項目です。それはすなわち、すでに述べたその霊の内住です。「しかし、確かに神の霊があなたがたの中に住んでいるなら……」（ローマ八・九）、「そして、イエスを死人の中から復活させた方の霊が、あなたがたの中に住んでいるなら……」（ローマ八・十一）。

その霊の内住は、その霊の注ぎ出しと同じように、それを自分の経験の中で知るためには、まず神聖な啓示が必要です。わたしたちはキリストを主として客観的に見る時、すなわち、天の御座に引き上げられた方として見る時、わたしたちに臨むその霊の力を経験します。キリストを主として主観的に見る時、すなわち、わたしたちの命の中で実際の支配者として見る時、内側のその霊の力を知ります。

パウロがコリント人の肉的状態の救済策として提供したものは、内住の霊の啓示でした。コリントのクリスチャンは、聖霊の注ぎ出しという目に見えるしるしに注意を払い、「異言」や奇跡などを重んじましたが、彼ら自身の生活が矛盾に満ちており、主の御名を辱めていたことを、わたしたちは知る必要があります。彼らは明らかに聖霊を受けていましたが、霊的には未熟なままでした。このために神が彼らに提供された救済策は、今日同じような病のある召会にも与えられている救済策なのです。

コリント人への手紙でパウロは言います、「あなたがたは神の宮であって、神の霊があなたがたの中に宿っておられることを、知らないのですか？」（Ⅰコリント三・十六）。また彼は他の箇所で、エペソ人の心の目が照らされ、彼らが知るようにと祈りました(エペソ一・十八)。神聖な事実に対する知識が、当時の召会に必要でしたが、今日のクリスチャンにも必要です。わたしたちは心の目が照らされ、神ご自身が聖霊を通してわたしたちの心の中に住んでおられることを、知る必要があります。神はその霊を通して臨在しておられ、キリストもその霊の中で臨在しておられます。ですから、聖霊がわたしたちの心に住んでおられるのであれば、わたしたちの中に御父と御子が内住しておられることになります。これは単なる理論や教理ではなく、幸いな実際です。わたしたちは、その霊が確実にわたしたちの中におられることを自覚したかもしれませんが、聖霊がパースンのある方であることを、自覚しているでしょうか？　わたしたちの中にその霊がおられることは、わたしたちの中に生ける神がおられることであることを、わたしたちは理解したでしょうか？

多くのクリスチャンにとって、聖霊は実際的ではありません。それらの人たちは、聖霊を単なる影響――単に善のための影響――と考えています。彼らの考えによれば、良心もその霊も多かれ少なかれ、彼らの中にある「何か」であると認識され、彼らが悪くなった時そのことを示し、また、どのようにして良くなるかを示すものであるかのようです。コリントのクリスチャンは、内住の霊に欠けていたのではなく、その霊の臨在の認識に欠けていました。彼らは、来て彼らの中に住まれる方の偉大さを認識しませんでした。ですから、パウロは彼らにこう書き送りました。「あなたがたは神の宮であって、神の霊があなたがたの中に宿っておられることを、知らないのですか？」。これが、彼らの肉的状態に対する救済策でした――内住しておられる方がどのような方であるかを知ることが、救済策でした。

器の中にある宝

愛する兄弟姉妹、あなたは、あなたの中におられるその霊が、神であることを知っているでしょうか？　わたしたちの目が開かれて、神の賜物が何とすばらしいものであるかを見ますように！　わたしたちが、わたしたちの中に秘められている源が何と巨大なものであるかを認識しますように！「わたしの中に住んでおられるその霊は、単なる一種の影響ではなく、生きているお方であり、神ご自身である。無限の神が、わたしの中に住んでおられるのである！」。わたしはこのことを考える時、喜びで叫びます！　この発見がいかに祝福されたことであるかを、伝える言葉が見つかりません。わたしの中に住んでおられる聖霊はパースンです。わたしは、「聖霊はパースンです！」と繰り返し言うことができるだけです。「彼はパースンです！」。もう一度言います、「彼はパースンです！」。ああ、わたしの友人たちよ、わたしは喜んで何百回でも言います、「わたしの中におられる神の霊はパースンです！」。わたしは土の器にすぎませんが、その土の器の中に、無限の価値を持つ宝、栄光の主がおられるのです。

もし彼らの目が開かれて、彼らの中に隠されている宝の偉大さを見たなら、神の子供たちの悩みや心配事はすべて消え去ってしまうでしょう。あなたは、あなたが直面し得るあらゆる環境の要求を満たす源が、あなたの中にあることを知っているでしょうか？　あなたは心の中に、あなたが住んでいる都市をも動かすのに十分な力があることを知っているでしょうか？　あなたは、宇宙をも揺るがすのに十分な力があることを知っているでしょうか？　どうかわたしにもう一度、最も敬虔《けいけん》な言葉をもって言わせてください。

神の霊によって再生されたあなたの中に、神が住んでおられるのです！

神の子供たちが、彼らの中に蓄えられた宝の偉大さを認識したなら、すべての軽率さは消えるでしょう。もしあなたがポケットに十シリングしか持っていなければ、あなたは気ままなおしゃべりをし、ステッキを振り回しながら軽快に歩いて行くでしょう。そのお金をなくしても、別に大した問題ではありません。しかし、もしポケットに一千ポンド持っているとしたら、どうでしょうか？　あなたの態度は大きく変わるでしょう。あなたの心には大きな喜びがありますが、決して不注意に、軽快な足取りで歩かないでしょう。ときどき足取りを緩めてポケットに手を入れて、宝の所在を確かめ、そして喜びに満ちた厳粛な気持ちで、再び歩き出すでしょう。

旧約時代、イスラエルの陣営には多くの天幕がありましたが、その中に他のものと全く異なる一つの天幕がありました。普通の天幕では、好きなことができます。食事をすることも断食することも、仕事をすることも休憩することも、喜ぶことも悲しむことも、騒ぐことも静かにしていることもできました。しかし、その一つの天幕では、敬虔と畏敬がありました。他の天幕では、騒々しく話したり大声で笑ったりしながら出入りしてもよいのですが、その特別の天幕へ近づくと、自然に歩調が静かになり、その前に立った時には、厳粛な沈黙のうちに頭が下がります。その天幕に触ると、刑罰を免れることはできませんでした。もし故意に触れるようなことがあれば、必ず死ななければなりませんでした。どうしてこの天幕は、それほど特別だったのでしょうか？　それは生ける神の宮であったからです。天幕自体は、他のものと違っていません。なぜなら外観的に見れば、ごく普通の材料を使っていたからです。しかし、大いなる神が、ご自身の住まいとしてそこを選ばれたのです。

あなたは主を信じた時、何が起こったか知っているでしょうか？　神があなたの心に入って、それを神の宮とされたのです。旧約時代、神は石で造られた宮に住まれましたが、今日は、生きた信者によって構成された宮に住まれます。神がわたしたちの心をご自身の住まいとされたことを真に知る時、わたしたちの生涯は何と敬虔なことでしょう！　自分は神の宮であり、神の霊が自分の中に住んでおられることを知る時、すべての軽率さ、浅薄さ、自分を楽しませる態度がなくなるでしょう。どこへ行っても、神の聖霊を伴って行っていることを、あなたは真に知っているでしょうか？　あなたは聖書や神の良い教えを持って行くのでなく、神ご自身を持って行くのです。

聖霊が中に住んでおられるにもかかわらず、多くのクリスチャンがその霊の力を経験していないのは、彼らに敬虔さが欠けているからであり、彼らに敬虔さが欠けているのは、彼らが神の臨在の事実を見ていないからです。事実は彼らの中にあるのですが、それを見ていないのです。あるクリスチャンは勝利の生活をしているのに、あるクリスチャンは絶えず敗北の生活をしているのはなぜでしょうか？　その違いは、聖霊が臨在されるかどうかにかかっているのではなく(なぜなら、聖霊はすべての神の子たちの心に住んでおられるからです)、ある人は聖霊が内住しておられるのを認めますが、ある人は認めないことによります。聖霊の内住の事実に関して真の啓示が与えられたなら、クリスチャンの生活は改革されるでしょう。

キリストの絶対的な主権

「それとも、あなたがたの体が、内にある聖霊の宮であることを知らないのですか？　この聖霊は、あなたがたが神から受けたものであって、あなたがたは、自分自身のものではないのです。なぜなら、あなたがたは代価をもって買い取られたからです。ですから、あなたがたの体において、神の栄光を現しなさい」（Ⅰコリント六・十九―二〇）。

この節は、わたしたちを一歩前進させます。なぜなら、自分が神の住まいであるという事実を発見すれば、自分を完全に神に服従させるはずだからです。自分が神の宮であることを見れば、もはや自分は自分のものでないことを直ちに知ります。ですから、この献身には啓示が伴うのです。勝利のクリスチャンと失敗のクリスチャンの違いは、ある人は聖霊を持っており、ある人は持っていないことにあるのではなく、ある人はその霊の内住を知っており、ある人は知らないことにあります。その結果、ある人は、自分の命の主権が神にあることを認め、ある人は、なおも自分を自分の主としています。

啓示は聖の第一歩であり、献身は第二歩です。わたしたちの生涯で、救われた時と同じように、わたしたちがあらゆる権利を放棄して、イエス・キリストの絶対的な主権にゆだねる日がなければなりません。神は実際的な問題を起こして、わたしたちの献身の真実性を試みられるかもしれません。しかしそうであってもなくても、わたしたちがいっさい保留することなく、すべてのものを――わたしたち自身、家庭、財産、職業、時間を――神に明け渡す日がなければなりません。わたしたちであるすべて、持っているものすべてが神のものとなり、以後、完全に彼によって支配されます。その時から、わたしたちは自分の主人ではなく、家令となります。イエス・キリストの主権が、わたしたちの中で確定的な事実とならないなら、聖霊はわたしたちの中に効果ある働きをすることはできません。わたしたちが自分の命を完全に主に明け渡さなければ、主は力をもってわたしたちの生活を導くことはできないのです。もしわたしたちが内側で、絶対的な主権を主に与えるのでなければ、聖霊は内住しても、大能を現すことはできません。なぜなら、聖霊の力がとどめられるからです。

あなたは主のために生きているでしょうか、それとも自分のために生きているでしょうか？　これでは少し漠然としすぎると思いますので、さらに具体的に言いましょう。神があなたにささげることを求めておられるのに、あなたはささげていないものがあるでしょうか？　神とあなたとの間に何かの争いがないでしょうか？　あらゆる争いが解決され、聖霊に十分な主権が与えられなければ、聖霊はわたしたちの中に、キリストの命を再現されることはできません。

今は主の所に行きましたが、わたしに米国の友人がいました。今、彼をパウロと呼ぶことにします。彼は、少年のころからパウロ博士と呼ばれることを心ひそかに望んでいました。まだ小さい時、大学に行って、まず修士号、次に博士号を贈られることを夢見始めました。

後ほど主は彼を救い、伝道者として遣わされました。そして間もなく、彼は大きな召会の牧師になりました。その時、彼はすでに修士号を得て、博士号のために勉強していました。しかし勉学の著しい進歩と、牧師としてのかなりの成功にもかかわらず、彼は満足のない人でした。彼はクリスチャンでしたが、彼の生活はキリストに似たものではありませんでした。また彼の中に神の霊が内住しておられましたが、その霊の臨在、その霊の力を享受することはありませんでした。彼は自らに問いました。「わたしは福音の伝道者で召会の牧師である。神の言葉を愛さなければならないと信者たちに言いながら、自分は真に愛してはいない。祈ることを勧めるが、わたし自身、喜んで祈っていない。聖なる生活をするように言っているが、わたしの生活は聖ではない。世を愛さないようにと警告するが、表面的には世を避けているものの、心ではとても愛している」。彼は非常に悩み、耐えられなくなったので、内住の霊の力を知らせてくださるようにと主に叫びました。しかし何か月祈っても応答がありません。それから彼は断食し、自分の生活の中で、妨げているものがあれば、それを示してくださるようにと嘆願しました。間もなく答えが来ました。主は言われました、「わたしは、あなたがその霊の力を知ることを切に望んでいるが、あなたの心はわたしが望まないものに固定されている。あなたはわたしにすべてを明け渡したが、まだ一つのものがある。それは博士号である」。わたしたちにとって、「パウロ氏」と紹介されても、「パウロ博士」と紹介されても、違いはないかもしれません。しかし彼にとって、博士号は彼の命でした。彼は子供の時からそれを夢見てきただけでなく、青年時代を通じて、それを得ようと努めてきました。今、彼が最高の栄誉と考えたそのものが、間もなく得られ、彼は博士になろうとしていました。

そこで、彼はこのように主と議論しました、「哲学博士になることは、わたしにとって害があるでしょうか？　単なるパウロ氏より、パウロ博士として福音を宣べ伝えれば、はるかに多くの栄光が御名に帰せられるのではないでしょうか?」。しかし神はみこころを変えられませんでした。パウロ氏のもっともな議論も、彼に対する主の御言葉を変えることはできませんでした。祈る度に、同じ答えでした。主と議論することに失敗した後、彼は主とかけ引きを始めました。もし主が博士号を得させてくださるなら、自分はどこへでも行き、何でもすると約束したのです。しかし主は、やはりみこころを変えられませんでした。この間パウロ氏は、ますます聖霊に満たされることを渇き求めるようになりました。この状態が最終試験の二日前まで続きました。

その日は土曜日で、彼は翌日の説教の準備をしました。しかしどれほど時間をかけても、メッセージが心に浮かんできません。生涯の野心の達成は目の前にありますが、神は、博士号が影響する彼自身の力と、彼の命に影響する神の力のどちらかを選ばなければならないことを、明確にされました。その夜、彼はついに屈服しました。彼は主に言いました、「主よ、一生ただの『パウロ氏』で構いません。しかし、わたしの命の中の聖霊の力を知りたいです」。

彼は立ち上がり、月曜の試験を受けないことを書き記した手紙を試験官に出しました。その後、彼は喜びのうちに床に入りましたが、何の特別な経験も感じませんでした。次の朝、彼は会衆に向かって、六年間ではじめて自分で宣べるべきメッセージのないことを語り、その理由を説明しました。しかし主はその証しを、かつての十分に準備されたメッセージよりも豊かに祝福されました。またその時から、神は完全に新しい方法で彼を祝福し、彼を得られました。

その日から、彼は世との離別を単なる表面的なものとしてでなく、深い内側からの実際として知り、日々の経験の中で、聖霊の臨在と力を経験したのです。

神は、ご自身に対するわたしたちの争論が、すべて解決されることを待ち望んでおられます。パウロ氏の場合、それは博士号でしたが、わたしたちにとっては全く別のものであり得るのです。わたしたちの主に絶対的に降伏することは、ある一つのことにかかっており、神はその一つのことを求められます。神はそれを得られなければなりません。なぜなら、神はわたしたちのすべてを得られる必要があるからです。わたしはかつて、ある偉大な国家元首の自叙伝を読んで、深く感動しました。彼は、「わたしは何も要らない。しかし国家のためにすべてのものを欲する」と言いました。もしこの世の人が、自分の国がすべてのものを得て、自分は何も要らないと言うことができるなら、わたしたちは神にこう言えないでしょうか？「主よ、わたしは自分のためには何も要りません。しかしあなたのために、すべてのものを欲します。わたしはあなたが望まれることを望みます。あなたのみこころ以外に、何も望みません」。わたしたちがしもべの地位を取らないなら、彼はわたしの上で主となることはできません。主はわたしたちが何かをすることを求めておられるのではなく、みこころに降伏することを求めておられるのです。あなたは、どのようなみこころであっても、従うことを望むでしょうか？

わたしのもう一人の友人は、パウロ氏と同じように、主と論争したことがあります。彼は主を信じる前、ある女性を愛していました。救われた後、彼はその女性を主に導こうとしましたが、彼女は霊的な事に対して全く興味がありませんでした。主は彼に、彼女との関係を断つようにとはっきり告げられました。しかし彼は彼女を深く愛していたので、この問題を避けながら、続けて主に仕え、魂を得ていました。次第に彼は聖の必要を感じ始め、その感覚は彼に暗黒の日々を送らせました。彼は聖なる生活をする力を得ようと、聖霊に満たされることを願い求めましたが、主はその要求をいつも無視しておられるようでした。

ある朝、彼はある町で伝道することになりました。彼はその日のメッセージに詩篇第七三篇二五節、「わたしはあなたのほかに、だれを天に持ち得よう。地にはあなたのほかに慕うものはない」を選びました。家に戻って、祈りの集会に参加した時、ある姉妹が何も知らないで同じ節を読み、そのすぐ後、「わたしたちは心から、神以外に何も望むものはないと言えるでしょうか？」と尋ねました。その言葉には力があり、彼の心を刺し通しました。彼は、天と地において主のほかに慕うべきものはないと言えないことを、認めざるを得ませんでした。その時その場で、彼はすべてのことが、彼の愛している女性をささげることにかかっていることを知りました。

ある人にとって、これはあまり重大なことではないかもしれませんが、彼にとってはとても重大でした。ですから彼は主と議論し始め、「主よ、もし彼女と結婚できれば、わたしはチベットへ行き、そこであなたのために働きます」と言いました。しかし主は、彼がチベットへ行くことよりも、彼女との恋愛関係に関心を持っておられるようでした。彼のどれほど多くの議論も、主の強調点を変えることはできませんでした。議論は数か月続きました。彼が再び聖霊に満たされることを祈った時、主はやはり同じことを示されました。しかし、その日は主が勝利を得られ、彼は主を見上げて言いました、「主よ、今わたしは心から、『わたしはあなたのほかに、だれを天に持ち得よう。地にはあなたのほかに慕うものはない』と言うことができます」。これが彼にとって新しい命の始まりでした。

赦された罪人は、普通の罪人とは完全に違います。同じように、自分をささげたクリスチャンは、普通のクリスチャンとは完全に違います。主がご自身の主権のことで、わたしたちの上で明確な地位を得られますように。主に完全に服従し、内住の聖霊の力を得たと主張すれば、特別な感覚や超自然的な現れを待つ必要はありません。ただ主を仰ぎ、主がすでにみわざを成し遂げておられることを賛美すればよいのです。わたしたちは、神の栄光がすでに彼の宮を満たしたことを、確信をもって感謝することができるのです。「あなたがたの体が、内にある聖霊の宮であることを知らないのですか？　この聖霊は、あなたがたが神から受けたものであって、あなたがたは、自分自身のものではないのです」。

第九章　ローマ人への手紙第七章の意義と価値

わたしたちは今、ローマ人への手紙に戻らなければなりません。第六章の終わりに来た時、中断していました。なぜなら、まず二つの関連した題目を見なければならなかったからです。その一つは神の永遠の目的、すなわち、神との歩みの動機と目的であり、もう一つは聖霊であり、彼はその目的の到達に必要な力と知恵を供給されます。わたしたちは今ローマ人への手紙第七章に来ました。多くの人はこの章を余分なものと感じています。キリスト者が、旧創造はキリストの十字架によって取り除かれ、彼の復活によって完全に新しい創造がもたらされたことを真に知ったなら、特にこの章は余分であると感じます。もしわたしたちがこのことを真に「知り」、そのことを「認め」、そのことを根拠に「自分をささげる」なら、おそらくローマ人への手紙第七章は必要でないかもしれません。

またある人は、この章の位置が間違いであって、第五章と第六章の間に置いたらよいと思うでしょう。なぜなら、第六章以後は、すべてが完全で道は真っすぐ伸びているからです。ところが突然、ざ折に見舞われ、「何とわたしは苦悩している者でしょう！」と叫ぶのです。これほどの急転直下があり得るでしょうか？　そこである人は、パウロはここで、再生される前の経験について語っていると言います。確かに彼がここで述べている事柄は、キリスト者の経験ではないことを、認めざるを得ません。しかしながら、多くのキリスト者には、なおもこのような経験があるのです。それでは、この章の教えは何でしょうか？

ローマ人への手紙第六章は罪からの解放を取り扱い、第七章は律法からの解放を取り扱っています。第六章でパウロは、どのようにして罪から救われるかを語っています。そしてわたしたちは、これで十分であると結論を下しました。ところが第七章は、罪からの救いだけでは十分でなく、律法からの解放も必要であると教えているのです。律法から解放されなければ、わたしたちは罪からの完全な解放の意義を十分に知ることはできないのです。しかし、罪からの解放と律法からの解放との違いは何でしょうか？ 前者の価値はわかりますが、後者の必要はどこにあるのでしょう？ これを知るには、まず律法とは何かということ、またそれが何をするかを理解する必要があります。

肉と人の弱さ

第七章は一つの新しい学課を教えています。パウロは、「肉の中にあった」(七・五)、「わたしは肉であって」(七・十四)、「わたしは自分の中に、すなわち、自分の肉の中に、善なるものが住んでいないことを知っています」(七・十八)と言っています。これは罪以上の問題です。なぜなら、それは神を喜ばせることと関係があるからです。わたしたちはここで、さまざまな形における罪ではなく、肉に属する人を取り扱っているのです。後者は前者を含んでいますが、後者は前者よりもさらに一歩進んだものです。なぜなら、後者は、わたしたちが肉のままの状態では全く無力であること、また「肉の中にいる者は、神を喜ばせることができません」(八・八)との発見に、わたしたちを導くからです。それでは、この発見はどのようにしてなされるのでしょうか？ それは、律法の助けによってなされるのです。

今、少し戻って、多くの人が経験していることについて少し述べたいと思います。多くのキリスト者は確かに救われていますが、なおも罪に束縛されています。絶えず罪の力の下にあるのでなくても、ある特定の罪が彼を絶えず妨げているので、その罪を繰り返して犯します。ある日、その人は完全な福音を聞きます。すなわち、主イエスが死なれたのは、わたしたちの罪を清めるためだけでなく、彼の死にわたしたち罪人も含まれています。ですから、ただわたしたちの罪だけでなく、わたしたち自身も取り扱われていることを知ります。その人の目は開かれ、彼はキリストと共に十字架につけられたことを知ります。その啓示に二つの事が伴います。第一に、彼は自分が主と共に死に、主と共に復活させられたことを認めます。第二に、主の主権を認識することによって、死人の中から復活させられた者として、自分を神にささげます。彼は、もはや彼が自分のものではないことを知ります。これが、主への賛美に満ちた麗しいクリスチャン生活の始まりです。

ここで彼はこのように考えます。「わたしはキリストと共に死に、彼と共に復活させられて、自分を永遠に主にささげた。主はわたしのためにこんなにもしてくださったのだから、わたしも主のために何かしなければならない。みこころを行なって、主を喜ばせたい」。彼は献身した後、神のみこころを捜し求め、神に従う準備をします。ところが彼は、不思議なことを発見するのです。彼はみこころを行なうことができると思い、またそれをなすことを心から愛していると考えていました。しかし時がたつと、必ずしも自分が神のみこころを好んでいるのではないことを知り、時には、みこころを行なうことを明らかに嫌がっていることにさえ気づきます。そして、みこころを行なうのは不可能であることを、しばしば発見するのです。そこで彼は、自分の経験に疑問を抱きます。彼は自らにこう問います、「わたしは本当に知ったのだろうか？　そうだ、わたしは知った！　本当に認めただろうか？　そうだ、認めた！　本当に自分を主にささげただろうか？　そうだ、ささげた！　献身を撤回しただろうか？　違う！　それでは、これはどうしたことだろう？」。この人は、みこころを行なおうとすればするほど、ますます失敗します。最後には、自分は真にみこころを愛していなかったと結論づけ、それを行なうための願いと力を祈り求めます。彼は自分の不従順を告白し、二度と背かないと約束します。しかし、祈りが終わって立ち上がると、またもや失敗します。勝利に達する前に、失敗したと感じるのです。そして自らに、「前の決心が十分でなかったかもしれない。今度は絶対にはっきりさせておこう」と言います。そして意志の力を使い尽くすのですが、その結果はさらにひどい失敗となります。ついに彼は、パウロのこの言葉を反響させるようになります。「わたしは自分の中に、すなわち、自分の肉の中に、善なるものが住んでいないことを知っています。なぜなら、わたしは善をしようと欲するのですが、善を行なうことはないからです。わたしは自分の欲する善を行なわず、かえって自分が欲していない悪を行なっています」（七・十八―十九）。

律法の用意

多くのキリスト者は、突然ローマ人への手紙第七章の経験に進んで、なぜそのような経験があるのかわかりません。彼らは第六章の経験だけで十分であると思います。それを把握することによって、二度と失敗はないと考えますが、突然、自分を第七章の中に見いだし、非常に驚くのです。これをどのように説明すればよいのでしょう？

まず明確にしておきたいのですが、第六章にあるキリストと共に死ぬことは、わたしたちの必要をすべて満たすのに十分です。ところが、その死とそれに続くものとの説明が、第六章だけでは不十分であるのです。わたしたちは、第七章に記されている真理について、まだはっきりしていません。ローマ人への手紙第七章は、第六章十四節の言葉、「罪はあなたがたを支配するはずはありません。なぜなら、あなたがたは律法の下にではなく、恵みの下にいるからです」を説明し、解釈を与えています。問題は、わたしたちがまだ律法からの解放を知らないことにあるのです。それでは、律法の意義は何でしょうか？

恵みの意義は、神がわたしのために何かをされることであり、律法の意義は、わたしが神のために何かをすることです。神はわたしたちに、聖《きよ》くて義《ただ》しいことを求めておられます。これが律法です。律法が、わたしに何かをするようにとの神の要求であれば、律法からの解放とは、神がもはやそのことをわたしに求めず、神ご自身がそれを備えてくださることを意味します。律法は、わたしが神のために何かをすることを意味し、律法からの解放は、わたしがそれを行なうことを免除され、恵みにあって、神ご自身がそれをなされることを意味します。わたし(第七章十四節の肉であるわたし)は、神のために何もしなくてもよいのです。それが律法からの解放です。第七章の問題は、肉である人が、神のために何かしようと努力していることです。あなたがそのようにして神を喜ばせようとすれば、必ず自分を律法の下に置くことになり、ローマ人への手紙第七章の経験をし始めます。

この問題を理解する時、まず、律法には欠点がないことを明確にしておきたいと思います。パウロはこう言っています、「ですから、律法は聖であり、また戒めも聖であり、義であり、善です」（七・十二）。律法には何の悪いところもなく、悪いのはわたしにあります。律法の要求は義であるのですが、その要求を受けている人が正しくないのです。問題は、律法の要求が不正であるということではなく、わたしがその要求に応《こた》えることができないことにあるのです。政府がわたしに百ポンドの納税を要求することは正当でしょう。しかし、わたしが十シリングしかないためにその要求に応じられないとしたら、わたしが完全に悪いのです。

わたしは「罪の下に売られている」（七・十四）人です。罪はわたしを支配しています。あなたがわたしに何もしないなら、わたしは良い人物と見えるでしょう。あなたがわたしに何かするようにと求める時、わたしの罪が現れ出ます。

あなたがそこつなしもべを使っているとします。彼がじっとしていれば、そのそこつさは表面に出ません。彼が一日中何もしないでじっとしていれば、何の役にも立ちませんが、少なくとも損害は与えません。しかし彼に、「さあ、怠けないで何か仕事をしなさい」と言えば、直ちに問題が起こります。彼は立ち上がると、まずいすをひっくり返し、数歩先へ行くと、踏台につまずいて倒れ、大切なお皿を持った途端、それを壊してしまいます。あなたが彼に何も要求しないなら、彼のそこつさはわかりませんが、何かするように頼むと、彼は本性を現すのです。あなたの要求は正当ですが、彼がどうかしているのです。彼は座っている時も働いている時もあわて者です。彼がじっとしている時も活動している時も、彼の性質の中にあるそこつさは、あなたの要求によって外に現れるのです。

わたしたちは生まれつき罪人です。神がわたしたちに何も求められなければ、すべてはうまくいくのですが、何か求められると、わたしたちの罪が暴露されます。律法はわたしたちの弱さを現します。もしあなたが、わたしをじっと座らせていてくださるなら、わたしは欠点のない者と思えますが、何かするようにと求められたなら、必ず失敗するのです。それでもわたしを信頼して第二のことを要求されれば、わたしはそれにも失敗するでしょう。聖なる律法が罪人に適用される時、その人の罪は必ず全面的に暴露されるのです。

神はわたしが何者であるかを知っておられます。わたしが頭からつま先まで罪に満ちていることを、わたしが弱さの化身であり、わたしには何もできないことを、神は知っておられます。しかし問題は、わたしがそれを知らないことです。わたしは、すべての人が罪人であるので、わたしも罪人であると認めます。しかしわたしは、一部の人のように、望みのない罪人ではないと思います。そのために神は、自分は極端に弱く、望みのないものであることをわたしたちが知るところまで、わたしたちをもたらされなければなりません。わたしたちは口でそう言っても、心からそう信じていないのです。そのために神は何かを行なって、その事実をわたしたちに知らせなければならないのです。律法がなければ、わたしたちは自分がどれほど弱いかを決して知らないでしょう。パウロはこの点に達しました。彼はこのことを、ローマ人への手紙第七章七節で明らかにしています。「律法によらなければ、わたしは罪を知りませんでした。『あなたはむさぼってはならない』と律法が言わなかったなら、わたしはむさぼりを知らなかったでしょう」。律法のその他の部分に対するパウロの経験がどのようであったとしても、いずれにせよ十番目の戒めは、「あなたは求めてはならない」（原文の直訳）となっています。この十番目の戒めは、彼の罪をあらわにしました。彼のすべての失敗と無能さは、この点において彼をじっと見つめているのです！

律法を守ろうとすればするほど、わたしたちの弱さは暴露され、わたしたちは第七章の経験に深く入り、ついには自分の弱さが望みのないほどであることをはっきりと示されるのです。神はこれをすべて知っておられましたが、わたしたちは知りませんでした。ですから、神はわたしたちに苦痛に満ちた経験を通過させて、その事実を認識させなければならなかったのです。わたしたちは、議論の余地がないほどに、自分が弱いことを示されなければなりません。そのために、神はわたしたちに律法を与えられたのです。

こういうわけで、わたしたちは敬虔《けいけん》な心を保ち、神がわたしたちに律法を与えられたのは、それを守るためではなかったと言うことができるでしょう。それが与えられたのは、それを犯すためです！　神は、わたしたちが律法を守ることができないことを知っておられました。わたしたちはあまりにも邪悪であるので、神はわたしたちに何の願いも要求もされないのです。かつてだれ一人として、律法を通して神に受け入れられませんでした。新約聖書のどこにも、信者たちが律法を守るようにと言われている箇所はなく、かえって律法は、犯されるために与えられたと記されているのです。「律法が入り込んできたのは、違犯が満ちあふれるためです」（五・二〇）。律法が与えられたのは、わたしたちを「律法を犯す者」とするためです。疑いもなく、わたしはアダムにあって罪人です。「しかし、律法によらなければ、わたしは罪を知りませんでした……律法がなければ罪は死んでいる……戒めが来た時に罪は生き返り、わたしは死にました」（七・七―九）。ですから、律法はわたしたちの真の性質を暴露します。わたしたちはあまりにもうぬぼれており、自分は強いと考えているので、神はわたしたちを試み、わたしたちがどれほど弱い者であるかを証明しなければならないのです。最終的にわたしたちはそのことを知って、「わたしは百パーセント罪人です。わたしは自分では神を喜ばせることが何もできません」と告白します。

律法が与えられたのは、わたしたちが守るためではありません。それは、わたしたちが犯すということを十分に認めた上で与えられたのです。そしてわたしたちがそれを全面的に犯し、自分が絶対に弱いことを自覚した時、律法はその目的を果たしたことになります。それは養育係として、わたしたちをキリストに連れて行き(ガラテヤ三・二四)、キリストご自身がその律法をわたしたちの中で成就してくださるのです。

律法の終わりであるキリスト

わたしたちはローマ人への手紙第六章で、神がどのようにしてわたしたちを罪から解放されたかを見ました。ローマ人への手紙第七章では、神がどのようにしてわたしたちを律法から解放されるかを見ます。第六章は主人と奴隷との関係を用いて、罪からの解放の道を示しています。第七章は二人の夫と妻との関係を用いて、律法からの解放の道を示しています。罪と罪人との関係は、主人と奴隷との関係であり、律法と罪人との関係は、夫と妻との関係です。

初めに、パウロがローマ人への手紙第七章一節から四節で律法からの解放を説明したことにおいて、一人の女と二人の夫があります。この女は、非常に困難な立場にあります。なぜなら、彼女は二人のうちの一人の妻にしかなれず、しかも不幸にして、望んでいなかった人の妻となっています。ここで間違えてはならないのは、彼女が嫁いだ夫は決して悪人ではなく、善人であるということです。しかしこの夫婦は全く性に合いません。夫は極端に厳格な人で、小さい点まで正確であることを要求しますが、妻は徹底的に安易をむさぼる性質です。彼はすべてに正確で几帳面でなければならないのですが、彼女はすべてがあいまいであり、でたらめです。彼はすべてが秩序正しいことを要求しますが、彼女はなるようになるというタイプです。このような家庭にどうして幸福があり得るでしょうか？

夫は非常に厳格で、いつもいろいろな事を妻に要求します。しかし彼の側に欠点を見いだすことはできません。なぜなら、彼は夫として、妻に物事を要求する権限があるからです。しかも彼の要求は、完全に合法的です。彼自身にも彼の要求にも何の間違いもないので、問題はその要求どおりにできない妻にあります。二人の性質は全く合わないので、心を合わせることができません。ですから気の毒に彼女は非常に悩んでいます。彼女は自分が常に間違いを犯すことを十分に承知しているのですが、そのような夫と生きていく限り、彼女の言うこと、行なうことが、すべて間違っているように見えます！　このような妻に希望があるでしょうか？　もし彼女がもう一人の人と結婚すれば、万事がうまくいきます。彼は現在の夫と同じように厳格ではありますが、彼女を十分に助けてくれます。彼女は彼と結婚することを心から願うのですが、現在の夫はまだ生きています。どうすればいいのでしょうか？　彼女は夫が生きている間は、「律法によって自分の夫に縛られて」いるので、彼が死ななければ、正当にもう一人の人と結婚することはできません。

以上の描写は決してわたし自身によるのではなく、使徒パウロによるものです。第一の夫は律法であり、第二の夫はキリストであり、その女はあなたです。律法は多くのことを要求しますが、その要求を達成するために何も助けてくれません。主イエスは律法と同じ程度のものを、それ以上のものさえ要求されますしてくださるのです。（マタイ五・二一―四八）。ところが彼は、わたしたちに要求されるものを、彼自身がわたしたちの中で成就されるのです。律法はわたしたちに要求しますが、それを行なう力のないままわたしたちをほうっておきます。キリストもわたしたちに要求されますが、自らなした要求を、わたしたちの中でご自身が成就されるのです。ですから、彼女が第一の夫から離れて、もう一人の方であるキリストと結婚したいと願うのは当然です。しかし、彼女が第一の夫から解放される唯一の望みは彼が死ぬことですが、彼はとても元気で死にそうにもありません。死ぬ気配など少しも見られないほど元気です。「まことに、わたしはあなたがたに言う。天地が過ぎ去るまで、律法の一点一画も決して過ぎ去ることはなく、ついにはすべてが実現するのである」（マタイ五・十八）。

律法は永遠に存続します。律法が過ぎ去ることがないのであれば、わたしはどうしてキリストと結合することができるでしょうか？　第一の夫が死ぬことを拒むなら、どうしてわたしは再婚できるでしょう？道は一つしかありません。もし彼が死なないなら、わたしのほうで死ぬ以外に道はありません。もしわたしが死ねば、婚姻の関係は解除されます。これが、神がわたしたちを律法から解放される方法です。ローマ人への手紙第七章のこの部分で最も重要な点は、三節から四節への移行です。一節から三節は、夫が死ぬべきことを示していますが、四節では、死ぬのは実は女であることを見ます。律法は過ぎ去ることはありませんが、わたしが過ぎ去るのです。すなわち死によって、わたしは律法から解放されるのです。律法は決して過ぎ行くことがないことを、しっかりと認識しましょう。神の義の要求は永遠に存続します。わたしは生きている限り、その要求に応じなければなりません。しかしわたしが死ねば、律法はわたしに対する要求を失ってしまいます。それは墓の向こう側までついて行くことはできないのです。

罪からの解放と律法からの解放は原則において同じです。わたしが死んでも、古い主人である罪はなおも生き続けますが、奴隷に対する彼の力は墓までであって、それ以上は何もすることができません。わたしが生きている時、彼はわたしに対して何でも要求することができますが、わたしが死ねば、彼の要求は無効になってしまい、その時から、わたしは罪の暴虐から永遠に解放されるのです。律法の場合も同じです。妻は生きている間は夫に結ばれていますが、彼女が死ねば、婚姻のきずなは解除され、彼女は「律法から解放され」ます。律法はなおも要求し続けるかもしれませんが、わたしに対する力はすでに失ったのです。

さて、ここで重要な問題があります。すなわち、「わたしはどのようにして死ぬのでしょうか?」。わたしたちの主の働きの尊さは、ここにもあります。「あなたがたもキリストの体を通して、律法に対して死に渡されたのです」(七・四)。キリストが死なれた時、彼の体は裂かれました。また神がわたしを彼の中に置かれた時(Iコリント一・三〇)、わたしも裂かれました。主が十字架につけられた時、わたしも主と共に十字架につけられたのです。

旧約の例証が、これをはっきりさせるのに助けになると思います。至聖所と聖所とを隔てたのはその間にあった隔ての幕であり、その幕の上にはケルビムが刺しゅうされていました(出二六・三一、歴代下三・十四)。エゼキエル書第一章十節と第十章十四節によれば、このケルビムの顔は、自然界の被造物の代表である人(詩八・四―八)の顔を含んでいました。旧約時代、神はその幕の内に住まれ、人はその外にいました。人はその幕を見ることはできましたが、内側を見ることはできませんでした。その幕は主の肉、すなわち体を表徴していました(ヘブル十・二〇)。ですから、福音書でも、人は主の外側しか見ることができませんでした。神の啓示がなければ(マタイ十六・十六―十七)、その中に住まれる神を見ることはできなかったのです。しかし主イエスが死なれた時、宮の垂れ幕は、神の御手にかかったように、上から下まで真っ二つに裂け(マタイ二七・五一)、そのために人は至聖所の中を見ることができました。主イエスが死なれた時から、神は幕の内に隠されることなく、ご自身を啓示しようとしておられます(Iコリント二・七―十)。

しかし幕が裂かれた時、ケルビムはどうなったでしょうか？　神は幕だけを裂かれました。ところが、ケルビムは幕の上に刺しゅうされていたので、幕の中にあり、幕と共にあったのです。そのために、幕を裂いてケルビムは裂かないということは不可能でした。幕が裂かれた時、ケルビムも裂かれたのです。ですから、神の目には、主イエスが死なれた時、全被造物も死んだのです。

「こういうわけで、わたしの兄弟たちよ、あなたがたもキリストの体を通して、律法に対して死に渡されたのです」(七・四)。律法という夫は健康でとても強いかもしれませんが、妻である女が死ねば、彼が幾ら要求しても、彼女に何の影響も与えません。死は彼女を、夫のあらゆる要求から自由にしたのです。主イエスが死なれた時、わたしたちは主の中にいて、主のすべてを含む死は、わたしたちを永遠に律法から解放しました。しかし、わたしたちの主は墓の中にとどまらないで、三日目に復活されました。わたしたちはなおも主の中にあるので、わたしたちも復活したのです。主イエスの体は主の死を示すだけではなく、復活をも示しています。なぜなら、主の復活は体の復活であったからです。こうして、「キリストの体を通して」、わたしたちは「律法に対して死に渡された」だけでなく、神に対して生きています。

わたしたちをキリストに結び付けた神の目的には、消極面だけでなく、栄光に満ちた積極的な面もあります――「あなたがたが別の方……に結び付いて」(七・四)。彼女は、絶えず要求を出して何も助けてくれない以前の夫によって絶望の境地に陥っていましたが、死はすでに古い婚姻関係を解除したので、今や彼女は自由になって、別の方に嫁ぐのです。この方も彼女に対して要求しますが、彼自身が彼女の中で、彼女のすべての要求を遂行する力となられるのです。

この新しい結合の結果はどうでしょうか? それは「わたしたちが神に対して実を結ぶ」ことです(七・四)。キリストの体によって、あの愚かな罪深い女は死にました。しかし死によってキリストと結ばれ、復活の中で彼と結ばれ、復活の命の力によって、神のために実を結ぶのです。主の復活の命は彼女の中で力を与えて、すべての神の聖の要求を実現させます。神の律法は無効になったのではなく、完全に成就されたのです。なぜなら復活の主は今、彼女の中でご自分の命を生かし出されるからであり、彼の命は父なる神にとって常に喜ばしいものであるのです。

女の人が結婚すると、自分の姓ではなく、夫の姓を名乗るようになります。また彼女は夫の姓だけでなく、夫の財産をも所有するようになります。わたしたちがキリストに結ばれた時も同じです。わたしたちが主のものとなる時、主のものはすべてわたしたちのものとなります。そしてわたしたちは彼の無限の豊富によって、神のすべての要求に応じることができるようになるのです。

わたしたちの終わりは神の始まりである

この問題の教理的な面を解決したので、もう少し積極面にとどまり、実際的な事柄に戻って学びましょう。積極面についての考察は、次の章に譲ることにします。日常生活で律法から解放されるとは、どういう意味でしょうか？　それは今後、神のために何もしないということです。神を喜ばせようと努力することなど、決してしないことです。「何という教えだ！　何と恐ろしい異端だろう！　あなたは正気ですか？」と問う人もいるでしょう。

しかし、もしわたしが「肉の中で」神を喜ばせようとすれば、わたしは直ちに自分を「律法の下に」置くことになります。わたしは律法に背き、律法は死刑を宣告しました。死刑は執行され、今や肉の「わたし」(七・十四)は、死によって律法のすべての要求から解放されたのです。神の律法はなおもあり、事実上、今の新しい律法は、古い律法より無限に厳格です。しかし神を賛美します！　その要求は満たされています。なぜなら、キリストがそれらを満たしてくださるからです。キリストがわたしの中にあって、神に喜ばれる働きをしてくださるのです。キリストは、「わたしが律法を……成就するために来た」と言われました(マタイ五・十七)。パウロは復活を根拠にして、こう言うことができました。「恐れとおののきをもって、あなたがた自身の救いを成し遂げなさい。なぜなら、神の大いなる喜びのために、願わせ働かせるのは、あなたがたの内で活動する神だからです」（ピリピ二・十二―十三）。

あなたがたの内で活動するのは神です。律法からの解放は、神のみこころを行なわなくてもよいということではありません。それはわたしたちが無法者になることを、決して意味しているのではありません。その反対です！　それが意味するのは、わたしたちが自分の力で神のみこころを行なうことから解放されているということです。わたしたちは、自分の力で神のみこころを行なうことはできないことを十分に納得したので、古い人によって神を喜ばせようと努めることをやめます。自分に完全に絶望するという点に達した結果、わたしたちは努力することさえやめ、主がわたしたちの中に復活の命を現してくださるようにと、主に信頼します。

このことを、わたしが自分の国で見たことを例証にして説明したいと思います。中国のある荷役人夫は、百二十キロから二百五十キロの重さの塩を背負うことができます。今、百二十キロしか背負えない者が、二百五十キロの袋の所に来ます。彼はそれを背負えないことを十分に知っています。もし彼が利口であれば、「わたしはこれに触れない！」と言うでしょう。しかし、やってみようという誘惑はだれにもあるので、背負えないとわかっていても、やってみようとします。若いころ、わたしはよく、このような人たちが十人、二十人とやって来て、その袋に手をかけるのを喜んで見ていました。ついに彼らは断念して、その袋を運ぶことのできる人に譲りました。

わたしたちは、やってみようという気持ちを捨てるのが早ければ早いほど良いのです。なぜなら、もしわたしたちが一人で仕事をすれば、聖霊には機会がなくなるからです。わたしたちが、「わたしはしません。

あなたに信頼して、わたしのために働いていただきます」と言えば、わたしたちより偉大な力が、わたしたちを運ぶのを発見します。

一九二三年に、わたしはある有名なカナダの伝道者に会いました。ある日わたしは、以上のようなことを用いてメッセージをしました。その伝道者の家に帰る途中、彼はわたしにこう言いました、「ローマ人への手紙第七章は、最近ほとんど語られていません。しばらくぶりで聞きましたが、本当に良かったと思います。わたしが律法から解放された時は、まさに地上における天国でした。わたしは救われて長年になりますが、なおも力を尽くして神を喜ばそうとしていました。しかし努力すればするほど、失敗しました。わたしは、神がこの宇宙での最大の要求者であると思いました。しかしわたしは、神が要求される最少の部分でも果たす力がないことを知ったのです。ところがある日、ローマ人への手紙第七章を読んでいる時、突然わたしは罪だけでなく、律法からも解放されていることを知りました。わたしは驚いて跳び上がり、こう叫びました、『主よ、あなたは本当にわたしから何も要求しておられないのですか？　わたしはもうあなたのために何もしなくてもよいのです！』」。

神の要求は変わっていませんが、わたしたちがそれを満たすのではないのです。神を賛美します、神は御座にあって律法を与える方であり、またわたしの心の中で律法を守る方でもあります。主は要求し、それを満たされるのです。わたしの友人が、何もしなくてもよいことを発見した時、跳び上がって叫んだのは当然のことです。それと同じ発見をする人は、みな同じように叫ぶでしょう。わたしたちが何かしようと努力している以上、主の働く余地はありません。わたしたちが努力するので、失敗に次ぐ失敗であるのです。神は、わたしたちが何もできないことを示しておられます。そのことが完全に認識されない限り、わたしたちの失望と幻滅はやむことがありません。

ある兄弟が努力して勝利の生活を得ようとして、「どうしてわたしはこんなに弱いのでしょう?」と言ったので、わたしはこう答えました、「問題は、あなたが神のみこころを行なうことができないことでは弱いのですが、すべてを放棄するほど弱くはないところにあります。ですから、あなたはまだ十分に弱くはないのです。完全に弱くなり、何もできないことを心から納得した時、神はすべてを行なわれます。わたしたちはみな、『主よ、わたしはあなたのために、何一つすることができません。しかし、わたしの中ですべてを行なわれるあなたに信頼します』と言えるところまで行くべきです」。

かつてわたしは、中国で二十人ほどの兄弟と一緒にいたことがあります。住んでいる家には、全員が入浴できる設備がなかったので、わたしたちは毎日川へ水浴に行きました。ある時、一人の兄弟が足にけいれんを起こし、急に沈み始めました。それを見たわたしは、水泳の達者な兄弟に、早く助けに行くようにと伝えました。しかし驚いたことに、彼は身動き一つしないのです。そこでわたしは心配になって、「おぼれているのがわからないのか?」と大声を上げました。他の兄弟たちもわたしと同じようにいらいらして、同じように叫びましたが、彼はなおも動きません。彼は落ち着いて、じっとそのまま立っていました。明らかに、この面白くない仕事を敬遠しているという仕草でした。その間に、おぼれている兄弟の声はますます弱ってきました。そして彼の動きも目に見えて衰えてきました。わたしは心の中で、「何という憎い男だ!　目の前で兄弟がおぼれるのを見ながら、助けに行かないとは!」と思いました。

しかし、その兄弟がいよいよ沈み始めた時、彼は素早く泳いでそばに行き、その兄弟を連れて無事に岸に帰って来ました。わたしは彼と話す機会ができた時、自分の意見をまくしたてました。「君ほど自分の命を愛するクリスチャンは見たことがない。自分のことを思わないで、もっと早く兄弟を助ければ、早く兄弟を苦しみから救えたのに」。しかし彼はこう答えました、「わたしがもっと早く行っていれば、彼はわたしを力いっぱいつかみ、そのため二人とも沈んだでしょう。おぼれる者が全く疲れ果て、自分を助けようともがく力が全くなくなった時に、はじめて救うことができるのです」。

おわかりでしょうか？　わたしたちが努力をあきらめる時、神は御手を差し伸べられるのです。神はわたしたちの力が尽きて、自分のために何もできなくなるのを待っておられます。神は旧創造に属するすべてのものを罪定めして、それを十字架につけられました。ですから肉は無益です！　もし肉において何かしようとすれば、わたしたちはキリストの十字架を実際的に拒絶することになります。神はわたしたちが死にふさわしい者であることを宣告されました。これを真に信じるなら、わたしたちは神を喜ばせようとする肉のすべての努力を放棄して、神の宣告を確認するのです。みこころを行なおうとするあらゆる努力は、わたしたちが全く無価値なものであるとの十字架による神の宣告を、拒否することになります。わたしたちの継続的な努力は、一方では神の要求を誤解し、もう一方ではそれを満たす供給の源を誤解することになります。

わたしたちは律法を見る時、その要求を満たさなければならないと思います。しかし、律法はそれ自体正しくても、間違った人に適用された時には大きな間違いを生じることを、覚えていなければなりません。

ローマ人への手紙第七章の「苦悩している者」は、神の律法の要求を自分の力で満たそうとしました。それが彼の問題の原因となったのです。この章で何度も出てくる「わたし」という小さな言葉が、失敗の手がかりを与えています。「わたしは自分の欲する善を行なわず、かえって自分が欲していない悪を行なっています」(七・十九)。この人の心には、根本的な間違った観念がありました。彼は、神が律法を守ることを求めておられると思い、それを守ろうとしました。しかし神は、そのような事を要求してはおられなかったのです。結果はどうでしょうか？ 神を喜ばせることを行なうどころか、かえって神を喜ばせないことを行なっていると気づきました。神のみこころを行なおうとするその努力において、みこころと思われることに反したことを行なっているのに気づいたのです。

わたしは神に感謝します！

ローマ人への手紙第六章は「罪の体」を扱い、第七章は「死の体」を扱っています(六・六、七・二四)。第六章は罪を、第七章は死をすべての問題としています。罪の体と死の体の違いは何でしょうか？ 罪(すなわち、神が喜ばれないすべての事)に関して言えば、わたしは罪の体を持っています。この罪の体は、積極的に罪を犯している体です。しかし神の律法(神のみこころを表現したもの)について言えば、わたしは死の体を持っています。わたしは罪の活動に携わって自分の体を罪の体とします。神のみこころに関するわたしの失敗は、わたしの体を死の体とします。この世的でサタン的であるあらゆる邪悪に対して、わたしは完全に積極的です。しかし聖なること、天的なこと、神に関するすべての事に対しては、完全に消極的であるのです。

あなたは自分の命の中に、この真理を発見したでしょうか？　これをただローマ人への手紙第六章と第七章において、文字の上で発見しただけでは価値がありません。あなたは、神のみこころに関して死んだ体という厄介なものを発見したでしょうか？　この世の事を話すのは簡単ですが、主のために話そうとする時は舌が動かず、祈ろうとする時は眠くなり、主のために何かをしようとする時は具合が悪くなります。神のみこころ以外のことなら、何でもできます。この体の中には、神のみこころに調和しないものがあるのです。

死とは何でしょうか？　コリント人への第一の手紙の適切な言葉をもって、これを説明することができます。「このことのゆえに、あなたがたの間では多くの者が弱く、病気であり、多数の者が眠ったのです」（Ｉコリント十一・三〇）。死とは弱さの極限状態です。弱さ、病、死です。死は弱さの極限を意味し、これ以上弱くなれないという点を表します。神のみこころに関してわたしが死の体を持っていることは、神に仕えることでわたしはあまりにも弱いので、完全に無能な状態に達していることを意味します。ですからパウロは、「何とわたしは苦悩している者でしょう！　だれがこの死の体から、わたしを救い出してくれるのでしょうか？」と叫んだのです。人がこのように叫ぶなら、何と幸いでしょう。神の耳に、これ以上に喜ばしい響きはありません。この叫びは、人が発し得る最も霊的で、最も聖書的な叫びです。このような言葉は、自分は何もなし得ないことを発見し、それ以上の努力を放棄した時に出ます。その時までは、失敗する度に新しい決心を重ね、意志の力を加えに加えてきました。しかし最終的に、彼はこれ以上、志を立てることは無益であることを知り、「何とわたしは苦悩している者でしょう！」と、絶望のうちに叫びます。目が覚めると家が火事であるのを発見した人のように、彼は救いを求めて叫びます。彼は自分に絶望する境地に達したのです。

あなたは自分に絶望したでしょうか？　それとも、もっと聖書を読み、もっと祈ったら、良いクリスチャンになると考えているでしょうか？　聖書を読むことと祈ることは、もちろん悪いことではありません。そのようにすることが悪いと示唆することさえ、神は禁じられます。しかし、それらの手段に信頼して勝利を得ようとすることは、間違っているのです。わたしたちの助けは、聖書を読み祈ることの目的である主にあるのです。わたしたちの信頼は、キリスト以外にあってはなりません。幸いにも、この「苦悩している者」は、自分の惨めさを単に嘆き悲しむところにとどまっていません。彼はすばらしい質問をしています。すなわち、「だれが……わたしを救い出してくれるのでしょうか？」。この「だれが」に大きな意味があります。今までは何かを捜していたのですが、今は、その望みはキリストにあります。今までは、問題の解決を自分の中に見いだそうとしたのですが、今は自分を見ないで救い主を仰いでいます。もはや彼は自分の努力に頼らないで、キリストにすべての期待をかけているのです。

わたしたちはどのようにして罪が赦されたのでしょう？　それは聖書を読むこと、祈ること、施すことなどによったのでしょうか？　違います。わたしたちは十字架を仰いで、主イエスがなされたみわざを信じたので、赦されたのです。罪からの解放も、同じ原則によってわたしたちのものとなります。神を喜ばせることも、この例外ではありません。わたしたちは十字架上のキリストを仰いで、罪が赦されます。わたしたちは内側におられるキリストを見上げて、罪から解放され、神のみこころを行ないます。前者の場合は、主の行なわれたみわざに信頼し、後者の場合は、主がわたしたちの中で行なわれることに信頼します。しかし、この二つの場合のいずれも、わたしたちがただ主に信頼することにあるのです。なぜなら、すべてを行なわれるのは主であるからです。

ローマ人への手紙が書かれた当時、殺人犯は恐ろしい方法で刑罰を受けました。殺人犯は殺した相手の死体に、頭と頭、手と手、足と足が結び付けられ、このように死人が生きている人に結び付けられたのです。殺人者はどこへでも行くことができましたが、その殺した相手の死体を絶えず持ち運ばなければなりませんでした。これほど恐ろしい刑罰があるでしょうか？　しかし、これがパウロの用いた例証です。彼は、死体(死の体)と結び合わされ、自由になれないかのようです。どこへ行っても、彼はこの恐しい重荷に妨げられています。ついに彼は、耐えられなくなって、「何とわたしは苦悩している者でしょう！　だれがこの死の体から、わたしを救い出してくれるのでしょうか？」と叫びます。その瞬間、ひらめきがあり、彼の絶望の叫びは賛美の歌に変わります。彼は問題の解答を発見したのです。「わたしたちの主イエス・キリストを通して、神に感謝します！」(七・二五)。

わたしたちは、義認が主イエスによってわたしたちのものとなり、わたしたちの側では何の働きも必要としないことを知っていますが、聖別に関しては、自分の努力によると思います。完全に主に信頼して赦しが得られることを知っているのですが、自分の力で何かすることによって解放されると思います。わたしたちは、何もしなければ何も起こらないと思います。救われた後、「何かしなければならない」という古い習慣が現れ、再びわたしたちは、古い自分の努力に頼ります。その時、「完了した！」（ヨハネ十九・三〇）という神の御言葉が、わたしたちにとって新鮮なものとなります。主は十字架上で、わたしたちの赦しのためにすべてを行なわれました。わたしたちの解放のためにも、彼はわたしたちの中ですべてを行なわれます。いずれの場合も、主が働きをされる方です。「あなたがたの内で活動する神だからです」。

解放された人から最初に、「神に感謝します！」というとても尊い言葉が出てきます。だれかがあなたに一杯の水を与えたなら、あなたは他の人にではなく、その人に感謝するでしょう。パウロはなぜ「神に感謝します！」と言ったのでしょうか？　それは、神がすべてのことをされたからです。パウロが自分でそれを行なったなら、自分に感謝するでしょう。しかし彼は、自分が「苦悩している者」であることを知り、神だけが彼の必要を満たしてくださることを知りました。ですから、「神に感謝します！」と叫んだのです。神はすべてをされたいのです。なぜなら、神にすべての栄光が帰せられなければならないからです。もしわたしたちが働きの一部にあずかったなら、栄光の一部にもあずかるでしょう。しかし神は、すべての栄光を得られなければなりません。ですから、初めから終わりまで、彼がすべての働きをされるのです。

しかし、もしここでとどまり、クリスチャン生活とはじっと座っていて何かが起こるのを待つような印象を与えたとすれば、この章で述べた事柄は消極的で、実際的ではないものと思えるでしょう。もちろん、そのようなはずはあり得ません。ここで学んだ原則を実際生活に生かしている人は、この原則が極めて積極的なものであり、キリストにある活発な信仰と、完全に新しい命の原則、命の霊の法則に関するものであることを知っています。この新しい命の原則がわたしたちの中にもたらす効力について、次に学びたいと思います。

第十章　前進する道——霊にしたがって歩くこと

今やわたしたちは、ローマ人への手紙第八章に来ました。初めに、この手紙の第二区分である第五章十二節から第八章三九節の理論を、二つに分けて要約してみましょう。二つの言葉はそれぞれ対照的なものであり、クリスチャン経験の面を明確に区別しています。

二つの言葉とは次のものです：

「アダムの中で」と「キリストの中で」——第五章十二節から第六章二三節。

「肉の中で」と「霊の中で」——第七章一節から第八章三九節。

わたしたちは、この四つの事柄の関係を理解する必要があります。前者の二つは客観的であり、わたしたちの地位を示しています。最初にわたしたちの生まれつきの地位を示し、第二はキリストの贖いのみわざを信じる信仰により、現在のわたしたちの地位を示しています。後者の二つは「主観的」であり、わたしたちの実際的な経験の事柄、わたしたちの歩みと関係があります。聖書は、前者の二つは全体の一部だけであり、後者の二つがあってはじめて完全であることを明らかにしています。わたしたちは「キリストの中で」だけで十分であると思いますが、さらに「霊の中で」歩く必要を学びます（ローマ八・九）。ローマ人への手紙第八章の初めの部分で、「霊」という言葉が何度も記されています。これは、クリスチャン生活の重要な学課を強調しています。

肉と霊

肉とアダムはつながっており、霊とキリストはつながっています。わたしたちは今、アダムにあるかキリストにあるかという問題を横に置き、「わたしは肉の中で歩いているか、それとも霊の中で歩いているか?」と、自らに尋ねなければなりません。

肉の中で生きるとは、アダムの中で自分の力によって何かを行なうことを意味します。それは、わたしがアダムから受け継いだ古い天然の命から力を得て、罪を犯すために備えられたアダムの完全な備えを経験することです。わたしたちはみなこのことを実証してきました。今、「キリストの中で」ということについても同じです。キリストの中で自分について真実であるものを経験の中で享受するために、わたしは霊の中で歩くことを学ばなければなりません。わたしの古い人がキリストの中で十字架につけられたことは、歴史的な事実であり、わたしが「キリストの中で、天上にある霊のあらゆる祝福をもって」(エペソ一・三)祝福されていることは、現在の事実です。しかし、もしわたしが霊の中で生きないなら、わたしの生活は、わたしがキリストの中にある事実に相反するかもしれません。なぜなら、彼の中にある一つの事実が、わたしの上で現されないからです。わたしたちは自分がキリストの中にあることを認めますが、それと同時に古い気性が残っているという事実に直面しなければならないかもしれないのです。

どこに問題があるのでしょうか? それは、わたしが真理をただ客観的に把握しているにすぎないことにあります。しかし客観的な真理は、主観的な経験にならなければなりません。このことは、霊の中で生きることによってそうなるのです。

わたしがキリストの中にあるだけでなく、キリストはわたしの中におられます。人は水の中で働いたり生きたりすることはできず、ただ空気の中で生きることができるのと同じように、霊的に言って、キリストは「肉」の中ではなく、「霊」の中にいて、ご自身を現されるのです。ですから、もしわたしが肉にしたがって生きるなら、「キリストの中で」自分のものであるものが、手の届かない所に置かれているのを発見します。事実として、わたしがキリストの中にあっても肉の中で生きるなら、すなわち、自分の主張にしたがって生きるなら、悲しいことにアダムの中にあるものが、わたしの内で現れることを経験的に知るのです。キリストの中にあるすべてのものを経験的に知ろうとすれば、わたしは霊の中で生きることを学ばなければなりません。

霊の中で生きるとは、聖霊に依り頼んで、自分ではできないことを、わたしの中でしていただくことです。このような生活は、自分の力で生きる生活と完全に異なっています。主から新しい要求を受ける度に、主が求められることを彼がわたしの中で行なってくださるようにと、わたしは主を仰ぎます。それは努力ではなく、信頼です。奮闘するのではなく、彼の中で安息するのです。わたしに性急な気性、汚れた考え、軽率な言葉、批判的な霊があるなら、自己を変えようと努力しないでしょう。むしろ、自分がこのようなことに対して、キリストの中で死んだものであることを認め、神の霊がわたしに欠けている純潔、謙そん、柔和を造り出してくださるようにと、神の霊を仰ぐのです。ですから、モーセにこう語られました、「しっかり立って、あなたがたのために行なわれる主の救いを見なさい」(出十四・十三)。

わたしたちの多くは、このような経験をしたことがあるでしょう。ある人が、一人の友人に会いに行くようにとあなたに頼むとします。あなたはその人があまり友好的でないのを知っていますが、主が顧みてくださると信じます。そこで、自分に頼れば失敗すると思って、訪ねる前に神に祈り、自分の必要のすべてとなってくださるよう神に求めます。すると不思議なことに、その人が好意的でない態度であるにもかかわらず、あなたは少しもいら立ちませんでした。帰る途中、この経験を思い返し、どうして自分があんなにも冷静でおれたのか、この次も同じように冷静でおれるだろうかと思います。わたしは自分に驚き、その説明を求めます。しかし、覚えていてください。その説明とは、聖霊があなたを支え通されたということです。

残念ながら、わたしたちはこのような経験をたまに持つだけです。しかし、これは通常の経験であるべきです。聖霊が事情を掌握される時、わたしたちは緊張する必要はありません。歯を食いしばって、わたしはこのように自分を制御したとか、栄光の勝利を得たと考えるのではありません。違います、真の勝利のある所に、わたしたちの肉の努力はありません。わたしたちは主によって栄光の勝利にもたらされたのです。

サタンは常に、自分の力で何かをするようわたしたちを誘惑します。日清戦争の初めの三か月間、わたしたちは多くの戦車を失い、もはや日本軍の戦車に対抗することはできないまでになりましたが、次のような工夫を考え出しました。待ち伏せした一人の狙撃兵が、日本の戦車に一発の小銃弾を撃ちます。かなりの時間をおいて第二弾が撃たれ、さらに長い沈黙の後、また一発撃ちます。戦車の操縦士が邪魔者の本拠を突きとめようとして我慢できなくなり、頭を持ち上げて周囲を見回すまで、この射撃が続きます。そして注意深くねらいを定めた次の一発が、彼のとどめをさすのです。

彼は、鋼鉄の戦車の中にとどまっている限り、絶対に安全でした。しかし計画のすべては、彼の体を外に出すことにありました。サタンはこれと同じようにわたしたちを誘惑します。彼はわたしたちに罪深いことをさせようとするのではなく、ただわたしたちが自分の力に頼って行動するように仕向けるのです。わたしたちが自分の力に頼って何かをしようと避け所から一歩踏み出すと、たちまちサタンはわたしたちに勝利を得ます。もしわたしたちが動かなければ、もしキリストのおおいの下から肉の領域に出て行かなければ、サタンはわたしたちに勝利を得ることはできないのです。

神の勝利の方法は、わたしたちが何をすることも許しません。何かをするとは、キリストの外に出ることです。行動し始めると、わたしたちは危険な領域に陥ります。なぜなら、わたしたちの天然の傾向が、わたしたちを間違った方向へ連れて行くからです。それでは、どこに助けを求めたらよいのでしょうか？ガラテヤ人への手紙第五章十七節を見てみましょう。「なぜなら、肉の欲することはその霊に逆らい、その霊は肉に逆らうからです」。言い換えれば、肉はわたしたちと戦うのではなく、霊と戦うのです。「この両者は互いに敵対し」。肉と対決し肉を対処するのは、わたしたちではなく、霊です。肉に頼る結果はどうでしょうか？「その結果、あなたがたは自分の欲する事柄を、行なうことができなくなります」。

わたしたちはこの節の終わりの部分を、しばしば誤解しています。この御言葉の意味は何でしょうか？わたしたちは天然の傾向として、どのようなことをするでしょうか？わたしたちは自分の本能の指図を受け入れて行動し、神のみこころから離れていくでしょう。もし自分の力で行動することを拒絶するなら、聖霊がわたしたちの中で何の妨げもなく肉を対処してくださいます。その結果、わたしたちは天然で行なうことを、もはやしなくなるのです。すなわち、わたしたちは天然の傾向にしたがって行動することなく、自分の道や計画にしたがって行動することなく、神の完全なご計画の中で満足を見いだすようになります。ですから、この原則が挙げられているのです。「その霊によって歩きなさい。そうすればあなたがたは、決して肉の欲を満たすことはありません」(ガラテヤ五・十六)。わたしたちがその霊の中で生き、復活のキリストの中にある信仰によって歩くなら、聖霊が日々肉に対して勝利を得させてくださることを、傍らに立って見ていることができるのです。聖霊はわたしたちに遣わされて、この働きを担ってくださいます。わたしたちの勝利は、キリストの中に隠れ、単純に依り頼んで、神の聖霊が神の願いにしたがって、肉の欲に打ち勝ってくださることにあります。十字架はわたしたちのために救いを獲得し、聖霊はわたしたちの中で救いを得させられます。復活し昇天したキリストは、わたしたちの救いの根拠であり、聖霊によってわたしたちの心にいますキリストは、わたしたちの救いの力です。

キリストはわたしたちの命である

「わたしたちの主イエス・キリストを通して、神に感謝します！」。パウロのこの叫びは、ガラテヤ人への手紙第二章二〇節、「生きているのはもはやわたしではありません。キリストがわたしの中に生きておられるのです」と同じものです。これはまさに、わたしたちが考察している問題の答えです。ローマ人への手紙第七章の考察を通して、一つの言葉がとても顕著です。その一つの言葉とは、「わたし」です。最終的に、あの苦痛に満ちた叫びに達することを知りました、「何とわたしは苦悩している者でしょう！」（ローマ七・二四）。それに続いて、解放の叫びが発せられます、「わたしたちの主イエス・キリストを通して、神に感謝します！」。ここでパウロが発見したことは、わたしたちが生きる命はキリストの命であるということです。わたしたちは、クリスチャンの命は「変えられた命」だと思っていますが、実はそうではありません。神はわたしたちに「置き換えられた命」、「代わりの命」を与えてくださいました。そしてわたしたちの中で代わって生きるのはキリストです。「生きているのはもはやわたしではありません。キリストがわたしの中に生きておられるのです」（ガラテヤ二・二〇）。この命は、わたしたちが自分で生み出すものではありません。なぜなら、キリストご自身の命が、わたしたちの中で再び生きるからです。

再生以上のものとして、このような意味での「再生産」を、何人のクリスチャンが信じているでしょうか？　再生とはわたしたちが悔い改めた時、聖霊がキリストの命をわたしたちの中に植え付けられることを意味します。しかし「再生産」は、これだけではありません。それは、わたしたちの中で新しい命が成長し、次第に現れて、キリストのかたちがわたしたちの生活の中で再び現されることを意味します。これは、パウロがガラテヤ人に、「キリストがあなたがたの内に形づくられるまで、わたしはあなたがたのために、再び産みの苦しみをします」（ガラテヤ四・十九）と語ったことです。

もう一つの物語で説明しましょう。ある時、アメリカで、ある救われた夫婦から、祈りに来てもらいたいと頼まれたので、わたしはその家へ行きました。「どうしたのですか？」と尋ねると、二人は告白しました、「ああ、ニー兄弟、最近わたしたちの生活はうまくいっていないのです。子供たちのことですぐにいらいらしてきますし、この数週間というもの、二人とも一日に数回はかんしゃくを起こします。わたしたちは本当に主の御名を汚しています。わたしたちが耐え忍ぶ力を与えられるよう、神に求めていただけないでしょうか?」。わたしは、「それはわたしにできないことです」と言いました。彼らは、「それはどういう意味ですか?」と尋ねました。わたしはこう答えました、「わたしが言いたいのは、神は決してあなたがたの祈りに答えられないということです」。彼らは驚いて言いました、「わたしたちが忍耐強くしてくださいと求めても、神は聞いてくださらないまでに、わたしたちは神から遠く離れてしまっているのでしょうか?」。わたしは答えました、「いいえ、決してそういう意味ではありません。しかし、お尋ねしたいのですが、あなたがたはこのように祈ったことがあるでしょうか? 常にそう祈っておられると思いますが、神は答えられたでしょうか? 答えられなかったでしょう。その理由をご存じですか? それは、あなたがたには忍耐の必要がないからです」。その時、夫人の目が燃え上がり、彼女は言いました、「あなたはいったい何を言われるのですか? 忍耐はもういらないとおっしゃっても、わたしたちは一日中いらいらしているではありませんか!」。わたしは答えました、「あなたがたに必要なのは忍耐ではありません。必要なのはキリストです」。

神は、へりくだり、忍耐、聖、愛を、別々に賜物としてわたしたちに与えられるのではありません。神は、恵みを薬のように一服ずつに分けて調合し、忍耐のない人には忍耐を、愛の足りない人には愛を、高慢な人には柔和を、というように小さく分けて小売りにされるのではありません。わたしたちは神からこれらの恵みを資本として得て、それで生きるのではありません。神は一つの賜物を与えて、すべての必要を満たされました。その賜物は御子イエス・キリストです。わたしが自分の中で主の命が生かし出されるようにと主を仰ぐ時、彼はわたしのへりくだり、忍耐、愛となって、わたしが必要とするすべてを満たしてくださるのです。ヨハネの第一の手紙の言葉を覚えていてください。「神がわたしたちに永遠の命を与えられ、そしてこの命が御子の中にあるということです。御子を持つ者は命を持っています。神の御子を持たない者は命を持っていません」(五・十一―十二)。神の命は分けて与えられるのではありません。神の命は御子の中でわたしたちに与えられました。使徒パウロは言いました、「神の賜物は、わたしたちの主キリスト・イエスにある永遠の命です」(ローマ六・二三)。わたしたちと御子の関係は、わたしたちと命の関係です。

クリスチャンが恵みとキリストとの違いを発見し、柔和とキリスト、忍耐とキリストとの違いを知るのは幸いなことです。もう一度、コリント人への第一の手紙第一章三〇節を思い起こしましょう。「キリスト・イエスは、わたしたちに至る神からの知恵、すなわち義と聖別と贖いとなられました」。普通、聖に対する人の観念は、生活のすべての面が聖であるべきだということですが、それは聖ではなく、聖の実です。聖はキリストです。それは、神が主イエスをわたしたちの聖とならせられることを意味します。キリストは、愛、へりくだり、力、自制など、すべてのものになってくださいます。今日、忍耐が必要であれば、主はわたしたちの忍耐です！　明日、純潔の要求があれば、主はわたしたちの純潔となられます！　主はわたしたちのすべての必要に対する答えです。こういうわけで、パウロはガラテヤ人への手紙第五章二二節で、その霊の実を言う時、単数形を用いているのです。これは一つの実であって、分けられた多くの実ではありません。神はわたしたちに彼の聖霊を与えておられます。愛が必要な時、聖霊の結ぶ実は愛となり、喜びが必要な時、聖霊の実は喜びとなります。これは、あなたの人格的な欠陥に関係するのでも、数多くの要求によって変わるのでもありません。神はただ一つの十分な答え、すなわち御子イエス・キリストを持っておられます。彼は、わたしたちのすべての必要に対する答えです。

この意味で、さらに多くキリストを認識するにはどうしたらよいのでしょうか？　道はただ一つ、わたしたちの必要をさらに多く感じることです。ある人は、自分の内に欠陥を発見することを恐れるので、成長しません。ただ恵みの中で成長してはじめて、成長することができます。すでに述べたように、恵みとは、神がわたしたちのために何かをしてくださることです。わたしたちすべての者に、同じキリストが内住しておられます。しかし新しい必要を示す啓示がある時、わたしたちは自然に主に依り頼み、わたしたちの中から主の命が生かし出されるようにします。わたしたちの度量が大きければ大きいほど、神の供給もますます大きくなります。一つの点で必要を感じると、わたしたちはキリストに信頼するようになり、こうして広げられます。成長の秘訣は、わたしたちの命なるキリストです。

努力することと信頼すること、そしてこの両者の区別について語ってきました。それは実に天国と地獄の差です。それは単に良い思いつきとして語るべき事柄ではありません。それはとても実際的な事です。「主よ、わたしにはできません。ですから、わたしはそれを行なおうと努力しません」。多くの人が、この点で失敗します。主に信頼する人はこう言うことができます、「主よ、わたしにはできません。ですから、わたしは手を引きます。今後は、あなたに依り頼みます」。わたしは行動することを拒み、神が行なってくださるよう神に依り頼みます。こうして、神が始められた働きの中に、十分な喜びをもって入って行くのです。それは受け身的な生活ではありません。そのように主に依り頼み、主から命を吸収し、主を受け入れ、主をわたしの命とし、わたしの中で彼の命を生かし出すことは、最も積極的な生活です。

命の霊の法則

「そこで今や、キリスト・イエスの中にある者には、罪定めがありません。なぜなら、命の霊の法則が、キリスト・イエスの中で、罪と死の法則から、わたしを解放したからです」(ローマ八・一、二)。

第八章で、パウロは霊の中にある命の積極面を詳細に述べています。パウロは「そこで今や……罪定めがありません」と書き始めていますが、この言葉は最初、あまり適合していないように見えます。確かに罪定めは血によって解決し、この血によって、わたしたちは神に対する平和を得て、神の怒りから救われました(ローマ五・一、九)。しかし、罪定めには二種類あります。すなわち神の御前での罪定めと、自分自身の前での罪定めです(前に二種類の平安があるのを学んだように)。多くの時、わたしたちは後者の罪定めのほうが前者の罪定めよりも恐ろしいと思うかもしれません。キリストの血が神を満足させたことを知る時、わたしは自分の罪が赦されていることを知り、もはや神の御前に罪定めはありません。しかし、ローマ人への手紙第七章に示されているように、わたしはなおも失敗を経験します。ですから、内なる罪定めの感覚が、とても現実的なものとなります。しかしわたしが、わたしの命としてのキリストによって生きることを学んでいるなら、すでに勝利の秘訣を学んでいるのであり、神を賛美して、「今や、罪定めがありません」と言うのです。「霊に付けた思いは命と平安です」(ローマ八・六)という経験は、わたしが霊の中で歩くことを学ぶ時、得ることができます。わたしは心の中に平安を持っているので、罪定めを感じることはなく、ただ勝利から勝利へと導いてくださる主を賛美するのみです。

何がわたしに罪定めの感覚を持たせるのでしょうか？　それは失敗の経験と、何もできない無力さの感覚ではないでしょうか？　キリストがわたしの命であることを知る前、わたしは絶えずハンディキャップがあるという意識の下で労苦し、自分の限界につきまとわれ、あらゆる場面で無能を嘆いてきました。わたしは常に、「これはできない！　あれはできない！」と叫びました。できる限りのことを試みたのですが、わたしは「神を喜ばせることができ」ないことを発見しました(ローマ八・八)。しかしキリストの中では、「できない」ということはありません。今や、「わたしを力づけてくださる方の中で、いっさいの事柄を行なうことができる」のです(ピリピ四・十三)。

パウロはどうしてあれほど大胆であり得たのでしょうか？　どのような根拠で、彼は自分の制限から解放されて、「いっさいの事柄を行なうことができる」と宣言したのでしょうか？　答えはこうです。「なぜなら、命の霊の法則が、キリスト・イエスの中で、罪と死の法則から、わたしを解放したからです」(ローマ八・二)。なぜもはや罪定めがないのでしょうか？　「なぜなら」とパウロは理由を言います。それを説明する明確な何かがあるからです。その理由とは、「命の霊の法則」と呼ばれるものが、「罪と死の法則」と呼ばれる別の法則よりも強力であることを、証明したからです。これらの法則は、どのようなものでしょうか？　それはどのような働きをするのでしょうか？　「罪」と「罪の法則」との違い、「死」と「死の法則」との違いは何でしょうか？

まず自分に問うてみましょう、「法則とは何でしょうか？」。厳密に言えば、法則とは吟味された法則であって、例外なく立証されるものです。さらに簡単に言えば、法則は繰り返し生じるものであり、それが生じる度に、いつも同じ方法で起こります。わたしたちは法律と自然の法則から、これを例証することができます。例えば、この国では、もしわたしが車で右側通行をすれば、交通巡査が停車を命じます。なぜなら、国の法律に違反するからです。もしあなたがそうすれば、同じように停車を命じられるでしょう。なぜでしょうか？　それはわたしの場合と同じように、法律に違反したからであり、しかも法律には例外はありません。それは繰り返して、しかも誤りなく起こるものです。次に、わたしたちはみな地球の引力とは何かを知っています。もしわたしがロンドンでハンカチを落とせば、それは地面に落ちます。それは地球の引力の作用です。しかしニューヨークや香港で落としても、同じことが起こります。どこへ行っても、引力は作用し、常に同じ結果を生じます。同じ情景が存在する時、常に同じ結果が見られます。これが「法則」です。

それでは、罪と死の法則についてはどうでしょうか？　だれかがわたしについて批判したなら、直ちにわたしの中で怒りが起こります。これは法則ではなく、罪です。しかし、別の人が批判した時、同じように怒りが起こったなら、わたしは心の中に法則、罪の法則があることを知ります。引力の法則と同じように、それは変わらないものであり、常に同じ方法で作用します。死の法則も同じです。前にも述べたように、死は弱さの極限です。弱さとは「わたしはできない」ということです。今わたしが、ある事で神を喜ばせようとすると、それができないことを見いだし、別の事で神を喜ばせようとすると、それもできないことを見いだします。そこで、わたしは自分の中に作用している法則を見いだします。わたしの中には罪だけでなく、罪の法則があり、死だけでなく、死の法則があります。

この法則は、引力の法則のように、変わらず、何の例外もありません。それは交通規則と違って、「自然の」法則であり、議論や決心の対象ではなく、発見の対象です。引力の法則があるので、ハンカチは何の助けもなく、「自然に」落ちます。ローマ人への手紙第七章二三節でパウロが発見した「法則」も、それと同じです。それは罪と死の法則であって、善なるものに反対し、善を行なおうとする人の意志を狂わせてしまいます。人は肢体の中にある「罪の法則」によって、「自然に」罪を犯します。彼はそれと別のことを願っているのですが、彼の中にある法則は残忍であり、人の意志はこの法則に抵抗することができません。ですから、この問題が出てきます、「わたしはどのようにして、罪と死の法則から解放されることができるのでしょうか?」。わたしは罪からの解放を必要とし、死からの解放を必要としますが、わたしが最も必要とするのは、罪と死の法則からの解放です。わたしはどのようにして弱さと失敗の絶え間ない繰り返しから救い出されるのでしょうか? この問題に答えるために、次の二つの例証を学んでみましょう。

かつて中国人にはとても重い負担がありました。それは税金でした。だれもこれを逃れることができません。この法律は清朝時代に創案され、わたしたちの時代まで続きました。これは物品の運送に対する国内関税で、国内の全地域に適用され、おびただしい数の税関と、強大な権力を享受していた役人たちがいました。その結果、幾つかの省を通過する物品の課税額は、非常な高額になりました。しかし今から数年前、この税金を廃止する第二の法律が施行されました。古い法律の下で苦しんでいた人々は、何という解放感を味わったことでしょう！　今や考えたり、望んだり、祈ったりする必要はありません。新しい法律がすでに存在し、わたしたちを古い法律から解放しました。役人に会った時に言うことを、前もって考えておかなくてもよいのです！

国の法律と同じことが、自然の法則にも当てはまります。引力の法則は、どのようにして無効にすることができるでしょうか？　再びわたしのハンカチについて言えば、この法則は明らかに作用しており、いつもそれを下に引っ張っています。しかし、わたしがハンカチの下へ手を持っていけば、それは落ちません。なぜでしょうか？　引力の法則はなおもあります。わたしは引力を対処したのではありません。事実、わたしは引力の法則を対処することはできません。それでは、なぜハンカチは地上に落ちないのでしょうか？　それは、そうなるのをとどめ、支えている力があるからです。引力の法則はなおもあるのですが、それを超越したもう一つの法則が、それに打ち勝って作用するのです。それは命の法則です。引力は力強く働いていますが、ハンカチは落ちません。なぜなら、もう一つの法則が、引力の法則に対抗して働き、ハンカチを支えているからです。敷石の割れ目に落ちた小さな種から芽生えた木が、その中に秘めた命の力によって、ついには重い敷石を持ち上げるのを、多くの人は見たことがあるでしょう。これが、わたしたちが言おうとしている、一つの法則がもう一つの法則に打ち勝つことです。

これと同じような方法で、神はもう一つの法則をもたらすことによって、わたしたちをある法則から救い出してくださいます。罪と死の法則はなおもあるのですが、神はもう一つの法則、すなわちキリスト・イエスにある命の霊の法則をもたらされるのです。この法則は、罪と死の法則から救い出すのに十分な力を持っています。これがキリスト・イエスにある命の法則です。この復活の命は、彼の中で各種各様の死を対処して、それに打ち勝ったのです(エペソ一・十九―二〇)。主イエスは聖霊を通してわたしたちの中に住んでおられます。わたしたちが自分を主に明け渡して、主に自由に活動していただくなら、主が古い法則からわたしたちを守ってくださることを見いだすでしょう。この時わたしたちは、自分の力によってではなく、神の力によって守られていることを知るでしょう(Ｉペテロ一・五)。

命の法則の現れ

これをさらに実際的に見てみましょう。この章の初めで、わたしたちの意志と神の事との関係を見ました。長い経験のあるクリスチャンでさえ、意志が生活の中でいかに大きな地位を占めているか、わからないのです。これが、ローマ人への手紙第七章におけるパウロの問題の一部でした。彼の意志は善なのですが、彼の行動は意志と相反しました。どれほど決心し、神を喜ばせようとしても、さらに大きな暗黒へともたらされました。「善をしようと欲する」のですが、「わたしは肉であって、罪の下に売られている」のです。問題はここにあります。多くのクリスチャンは、押さなければ動かず、手を離せばすぐ止まってしまう油の切れた車のようです。彼らは意志の力で自分を運転しようと努力しているので、クリスチャン生活はとても苦しく、常に精魂をすり減らすものであると思っています。ある人たちは、他の人が「ハレルヤ!」と言うので、自分も無理に「ハレルヤ！」と言いますが、それはあまり意義がありません。このような人は、自分の自然の状態とは別のものになることを自らに強いており、これは水の流れを山の上に持っていくように難しいのです。なぜなら、意志が到達できる最高点は、それが願っている点までであるからです（参照、マタイ二六・四一）。

もし多くの努力をしてクリスチャン生活をしなければならないとしたら、その努力は、わたしたちが生きているのは真のクリスチャン生活ではないことを告げています。わたしたちは何の無理もなく母国語を話します。実は、わたしたちは自然にできないことをする時にのみ、意志の力を用いなければなりません。しばらくの間は努力することができますが、最後は罪と死の法則が勝利を得るのです。わたしたちは、「しようと欲するので、二週間、善を行なおう」と言うことができるかもしれません。しかし、「どのようにそれを行なってよいのか、わからない」と告白しなければなりません。わたしは、すでに得たものを得ようとは思いません。わたしが「そうしよう」と願うのは、まだそれを得ていないからです。

あなたは、「なぜ人は意志の力を用いて神を喜ばせようとするのでしょうか？」と尋ねるでしょう。それには二つの原因があると思われます。一つは、彼らに再生の経験が根本的にないので、吸収すべき新しい命がないことです。もう一つは、再生して新しい命を持っていても、その命に依り頼むことを学んでいないことです。この理解に欠けているがゆえに、何度も失敗したり罪を犯したりするのです。こうして、まだ良くなるという可能性をほとんど信じられないまでになります。

しかし、わたしたちが完全に信じていないからといって、わたしたちが経験する弱い生活が、神の与えたすべてであることにはなりません。ローマ人への手紙第六章二三節は、「神の賜物は、わたしたちの主キリスト・イエスにある永遠の命です」と言っています。ローマ人への手紙第八章二節は、「命の霊の法則が、キリスト・イエスの中で……わたしを解放した」と言っています。ですから、第八章二節は新しい賜物について語っているのではなく、第六章二三節ですでに言及されている命について語っているのです。言い換えれば、それは、わたしたちがすでに持っているものの新しい啓示です。この点は幾ら強調しても強調しすぎないと思います。それは神の御手から来る新しいものではなく、神がすでに与えてくださったものが、新しくおおいが取り除かれて現されることです。これは、キリストにあってすでに成し遂げられたみわざの新しい発見です。なぜなら、「わたしを解放した」と過去形になっているからです。わたしが真にこれを見て、主に信頼するなら、ローマ人への手紙第七章の再三の経験と行為は絶対に必要がないものです。あの不幸な苦闘と失敗、意志の力をもっても効果がなかった繰り返しは、もちろん不必要になります。

わたしたちが自己の意志を明け渡して主に依り頼むなら、地に落ちて砕けることはなく、その反対にもう一つの法則、すなわち、命の霊の法則の中に落ちるのです。なぜなら、神はわたしたちに命だけでなく、命の法則をも与えておられるからです。引力の法則が自然の法則であって、人の規則の結果ではないように、命の法則も自然の法則です。それは心臓の鼓動を維持する法則や、まぶたの動きを制御する法則に似ています。わたしたちはどれほどまばたきして、目のことを考え、眼球をきれいにしておくのかを決める必要はありません。心臓の鼓動のために、自分の意志を働かせる必要はありません。そのようにすることは、助けとなるよりは、害になるでしょう。生きている限り、心臓は自然に動き続けます。わたしたちの意志は、命の法則を妨害するにすぎません。わたしはかつてこのような方法で、この事実を発見しました。わたしは以前、不眠症になりました。数日、眠られない夜を過ごした後、わたしはこのために多く祈りました。ついに自分に何か誤りがあるに違いないと神に告白し、「どうしてなのか示してください」と願いました。すると神は、「自然の法則を信じなさい」と答えられました。睡眠は空腹と同じように法則です。わたしは自分が空腹になるかどうか心配もしなかったのに、眠ることを思い煩っていたことに気づきました。わたしは自然を助けようとしていたのです。これが、不眠症に悩む多くの人の過ちです。わたしはこの点に気づいて、神に信頼するだけでなく、神の自然の法則にも信頼して、すぐに安らかに眠りました。

わたしたちは聖書を読むべきでしょうか？　当然読むべきです。そうしなければ、わたしたちの霊の命は損失を被ります。しかし、これは強制的に読むように強いるのであってはなりません。わたしたちの中には新しい法則があって、御言葉に飢え渇かせるのです。渇く心で三十分間読むことは、強いられて五時間読むよりはるかに益があります。これは、財物をささげることでも、宣べ伝えることでも、証しすることでも同じです。強制されて宣べ伝えた結果、とても容易に冷ややかな心で熱い福音を語るようになります。またわたしたちは、人々が「冷ややかな慈善」と言っていることが何であるかを知っています。

わたしたちが新しい法則の中で生きているなら、古い法則はあまり意識しなくなるでしょう。古い法則はなおもあるのですが、それはもはや支配しませんし、わたしたちはその統制の下にいません。ですから、主はマタイによる福音書第六章で、「空の鳥を見なさい……野のゆりを……よく考えてみなさい」と言っておられるのです（二六、二八節）。もしわたしたちが鳥たちに、引力の法則は恐ろしくないかと尋ねることができるなら、鳥は答えるでしょう、「わたしたちはニュートンという名前を聞いたことがありませんし、その法則については何も知りません。わたしたちが飛ぶのは、飛ぶことが命の法則であるからです」。鳥の内側には飛ぶ命があるだけでなく、その命には法則があって、これらの生物は自然に、また持続的に、引力の法則に勝つことができます。しかし、引力はなおも存在しています。ある朝、早起きして、とても寒く、地上に雪が積もり、雪の上に死んでいるすずめを見つけるなら、わたしたちは直ちに引力の法則の永続性を思い出すでしょう。しかし鳥は生きている時、それに勝ちます。鳥の中にある命は、引力の法則に勝つという意識を支配しています。

神は実にわたしたちに恵み深いのです。神はわたしたちにこの霊の新しい法則を与えられました。ですから、わたしたちが「飛ぶ」ことは、もはやわたしたちの意志の事柄ではなく、霊の命の事柄です。忍耐のないクリスチャンを忍耐強くさせることは、どれほど大変なことであるか、考えたことがあるでしょうか？彼に忍耐を要求することは、彼を抑圧して病気にさせるでしょう。しかし神は、わたしたちが本来そうでない状態になるようにと強いられたことはありません。またわたしたちが考えることによって、わたしたちの霊の度量を伸ばすようにと言っておられるのでもありません。思い煩いは、人の成長をはばむことがあっても、少しでも増し加えることは絶対にありません。主は言われました、「思い煩ってはならない……野のゆりがどのように生長するか、よく考えてみなさい」。主はわたしたちの注意を、わたしたちの中にある命の新しい法則に向けておられます。ああ、わたしたちが自分のものである命に対して、新しい認識を持ちますように。

これは何という尊い発見でしょうか！　この発見は、わたしたちを完全に新しい人にすることができます。なぜなら、それは大きなことだけでなく、最も小さなことにも作用するからです。例えば、他人の部屋で、人の書物を手に取ろうとする時、それをとどめ、自分にはそれを取る許可が与えられていないのだから、そうする権利はないことを思い出させます。聖霊はこのように、他の人の権利を犯してはならないと告げられるのです。

かつて、あるクリスチャンの友人と語っていた時、彼はわたしに言いました、「あなたは知っていますか？　人が命の霊の法則によって生きることを望むなら、彼は真に高尚な人になるでしょう」。わたしはその意味を尋ねました。彼はこう言いました、「その法則には、人を完全な紳士にする力があります。ある人は、教育を受けていない人をさげすんで、『これらの人たちの行為について責めることはできない。彼らは田舎者にすぎず、教育を受ける機会がなかったのだ』と言うでしょう。しかし、真の問題は、彼らが内側に主の命を持っているかどうかということです。というのは、その命は彼らに、『あなたの声は大きすぎる』、『今、笑ったことは間違っていた』、『あなたがあのように批評した動機は間違っていた』と告げるからです。命の霊は、あらゆる詳細にわたって、どのように振る舞うべきかを彼らに告げることができるのです。こうして、彼らの中に真の高尚さを生み出すのです。教育にはこのような本質的な力はありません」。わたしにこのように語った友人は、実は教育者だったのです！

確かに、これは事実です。今おしゃべりの例を取り上げましょう。あなたはしゃべり過ぎないでしょうか？　あなたは人と一緒にいる時、このように自らに問わないでしょうか？　「どうしたらいいだろう？

わたしはクリスチャンだ。もし主の御名に栄光を帰するとすれば、あまり多くしゃべってはならない。今日は特別に注意して自分を制御しよう」。一、二時間はうまくいくでしょう。しかし、わずかなことで自制心を失い、気づいた時には、多くしゃべって困難に直面していることを発見します。わたしたちは、意志が役に立たないことを、十分に認めなければなりません。この事であなたの意志を働かせるように勧めることは、この世のむなしい宗教を提供することであり、キリスト・イエスにある命を提供することではありません。もう一度このことを考えてみましょう。おしゃべりの人は、一日中しゃべらなくても、おしゃべりなのです。なぜなら、彼にはおしゃべりする自然の法則があって、彼を支配するからです。それは、桃の木が桃の実を結んでも結ばなくても、桃の木であるのと同じです。しかし、わたしたちはクリスチャンとして、自分の中に新しい法則、すなわち命の霊の法則を発見します。その法則はすべてを超越する法則であり、わたしたちをおしゃべりの法則から解放します。主の言葉を信じて、その新しい法則に自分を明け渡すなら、それはわたしたちがいつ話すのをやめるべきか、いつ話し始めてはならないかを告げるでしょう。しかもそれは、わたしたちに力を与えて、そのようにさせるのです。もしあなたがこのような土台に基づいて生活するなら、あなたは友人の家に行って二、三時間過ごしても、あるいは二、三日滞在しても、何の問題も感じないでしょう。帰る途中、あなたは命の新しい法則のゆえに神に感謝するでしょう。

このような自発的な生活がクリスチャン生活です。愛することのできない者、天然的には好きでなく、決して愛することのできない兄弟に対して、命の霊の法則は愛を現し出します。それは、主がその兄弟をどのように見られるかによって働きます。わたしたちは主に言います、「主よ、あなたは彼を愛すべき者と見ておられ、彼を愛しておられます。今、わたしを通して彼を愛してください！」。命の霊の法則は、実際の生活の中でそれ自身を表現します。すなわち、真の道徳的な行為の上でそれ自身を表現します。惜しいことに、クリスチャンの生活には偽善が多すぎ、偽装が多すぎます。事実でないものを事実であるかのように見せかけることほど、クリスチャンの証しを損なうものはありません。なぜなら、世の人は、ついにはそのような見せかけを見破り、わたしたちの真相を見いだすからです。わたしたちが命の法則に依り頼む時、見せかけは実際に屈服するようになるのです。

第四段階：「霊にしたがって歩く」

「律法が肉のゆえに弱くて、なし得なかったので、神は、ご自身の御子を罪の肉の様で、罪のために遣わし、肉において罪を罪定めされました。それは律法の義の要求が、肉にしたがってではなく、霊にしたがって歩くわたしたちにおいて、満たされるためです」(ローマ八・三、四)。

聖書をすべて注意深く読む人は、この二つの節に、二つの事柄が記されていることを知ります。第一に、わたしたちのために主イエスが何を行なわれたかということ、第二に、聖霊がわたしたちの中で何を行なわれるかということです。肉は弱いので、律法の義は、肉にしたがっているわたしたちにおいては成就されません(覚えていてください。ここでの問題は救いではなく、神を喜ばせようとすることです)。わたしたちは無能であるので、神は二つの手段を取られました。第一に、神は入って来てわたしたちの問題の中心を取り扱われました。神は御子を世に遣わされ、御子は肉体と成って、わたしたちの罪のために死に、

「肉において罪を罪定めされました」。言い換えれば、主はわたしたちの中にある旧創造に属するすべてのものを死に置かれたのです。それは「古い人」、「肉」、肉の「わたし」のいずれであると言ってもよいのです。こうして、神はわたしたちの弱さの基本的な原因を取り除いて、問題を根絶されました。これが第一段階です。

しかし、「律法の義」は、「わたしたちにおいて」満たされなければなりません。これはどのようにしてなされるのでしょうか？　それは、内住の聖霊という、神のさらに進んだ備えを必要とします。聖霊は遣わされてわたしたちの内なる事を顧みて、わたしたちが「霊にしたがって歩く」ことによって、そのことを可能にしてくださいます。

霊にしたがって歩くとは、どういう意味でしょうか？　それは二つのことを意味します。第一に、それは働きではなく、歩みです。神を賛美します。「肉にしたがって」神を喜ばそうとする苦しい実のない努力は、「わたしの内で力をもって活動している彼の活動」(コロサイ一・二九)に依り頼むという幸いな安息に代わります。ですからパウロは、肉の「働き」とその霊の「実」とを対比しているのです(ガラテヤ五・十九、二二)。

第二に、「……にしたがって歩く」ことは服従を意味します。肉にしたがって歩くとは、肉の命じる事に服することを意味します。ローマ人への手紙第八章五節から八節は、肉にしたがって歩いた結果が、神との争いであることをはっきりと言っています。霊にしたがって歩くとは、霊に服従することです。霊にしたがって歩く人は、神から独立することはできません。わたしは聖霊に従わざるを得ないのです。わたしの行動は聖霊から起こります。聖霊に服従する時にのみ、わたしは「命の霊の法則」が十分に運行して、律法の義(今までわたしが神を喜ばせようとしていたすべての事)が、もはやわたしによってではなく、彼によってわたしの中で成就されるのを発見します。「神の霊に導かれている者はみな、神の子たちであるからです」(ローマ八・十四)。

わたしたちはみなコリント人への第二の手紙第十三章十四節の祝福の言葉を知っています、「主イエス・キリストの恵みと、神の愛と、聖霊の交わりとが、あなたがた一同と共にありますように」。神の愛は、すべての霊的な祝福の源です。主イエスの恵みは、霊の祝福がわたしたちのものとなることを可能にしました。聖霊の交わりは、霊の祝福をわたしたちに与えます。愛は、神の心の中に隠されているものです。恵みは、御子において表現され、得られるようになった愛です。交わりは、霊によって恵みが分与されることです。父なる神がわたしたちのために計画されたことを、御子がわたしたちのために成就し、今や聖霊がわたしたちにそれを伝達されたのです。ですから、主イエスが十字架上でわたしたちのために得られたものを、わたしたちが新しく発見する時、その成就のために、神が示された方向を見て、堅く聖霊に従い、聖霊がわたしたちにそれを分与する十分な機会を、彼に持っていただきましょう。それが聖霊の働きです。彼はこの目的のために来られました。すなわち、彼はキリストが成されたすべてを、わたしたちの中で実現されたのです。

わたしたちは中国で、魂をキリストに導く時、徹底した取り扱いをしなければならないことを知りました。なぜなら、彼は他のクリスチャンから再び助けが得られるかどうか、わからないからです。主に罪の赦しを求め、また自分の中に主が来てくださることを求めた時、その人の心は生ける主の住まいとなることを、わたしたちは絶えず新しい信者に対して明確にするよう努力します。神の聖霊は今や彼の中で、聖書を開いて、彼が聖書の中でキリストを発見するようにし、祈りを導き、彼の生活を支配し、主の性格を彼の中に再現させます。

ある年の夏の終わりごろ、わたしは高原の避暑地で長期の休養をしました。そこでは定まった住居を確保することが困難であったので、ある家で宿泊し、別の家で食事をしなければなりませんでした。食事をしたのは、機械技師の夫婦の家においてでした。避暑地に行ったばかりの二週間は、食事の度に感謝の祈りをする以外に、この家の人たちに福音を一言も語りませんでした。ある日、主イエスについて語る機会が与えられました。彼らは聞く願いがあったので、単純な信仰をもって主の御前に出て、罪の赦しを求めました。主に感謝します。彼らは再生され、彼らの命の中に新しい光と喜びが入りました。確かに彼らは救われました。わたしは注意深く彼らに、何が起こったのかをはっきりと告げました。やがて次第に寒くなり始めたので、わたしはそこを去って、上海へ帰ることになりました。

ところが、その人は、寒い冬の期間、食事の時に酒を飲む習慣があり、しかも飲みすぎる傾向がありました。わたしがそこを去った後、次第に寒くなり、彼の食卓の上には再び酒が現れました。ある日、いつもの習慣で、その家の主人は食事の感謝をささげようとして頭を下げました。ところが、言葉が出てこないのです。彼は一、二度、無駄な努力をした後、妻に言いました、「どうしたのだろう？　今日はなぜ祈れないのだろう？　聖書を取って、酒を飲むことについて何と言っているか、調べてくれないか」。わたしはその家に聖書を一冊置いてきたのです。彼の妻は読むことはできたのですが、御言葉については無知であったので、酒を飲むことについての命令を、むなしく捜していました。二人とも、どのようにこの神の書物を調べたらよいか、わかりませんでした。またわたしはかなり離れた所にいて、わたしに会うには何か月も待たなければなりません。そこで彼の妻は言いました、「お飲みなさいよ。ニー兄弟にお会いした時、このことを聞いてみましょう」。しかし、それでもなお彼は、酒を主に感謝すると言うことができませんでした。ついに彼は、「片づけてくれ！」と言いました。そして妻が片づけた後、二人は共に食事の感謝の祈りをすることができたのです。

後になって、この人が上海に来た時に、この話をしてくれました。彼は中国語で言い慣らされている言葉を使って、こう言いました、「ニー兄弟、うちの親方が飲ませてくださらないのですよ！」。わたしは言いました、「兄弟、それはとても良いことです。いつでも親方の言葉に聞き従ってください！」

多くの人は、キリストがわたしたちの命であることを知っています。わたしたちは、神の霊がわたしたちの中に住んでおられることを信じています。しかし、この事実は、行為の上にあまり影響を与えていません。問題は、わたしたちが霊を生きた方として、また「親方」として知っているかどうかにあるのです。

第十一章　キリストにある一つのからだ

最後の重要な題目に入る前に、今まで学んできた事を少し復習してみましょう。これまでクリスチャンが普通にたどる経験について、できるだけ簡潔に、また明確に説明しようとしてきました。しかし、わたしたちが主との歩みにおいて新しく発見するものは数が多く、そのため神のみわざをあまりにも簡単に分類する誘惑に陥らないように注意しなければなりません。このようにすれば、大変大きな混乱を起こすでしょう。

多くの神の子供たちは、わたしたちの救いの全体が尊い血の価値を評価することにあると信じています。彼らはその中に聖なる生活を送ることも含めてしまっています。彼らは神の御前に犯した特定の知れる罪について随時赦しを求める重要性を強調し、また犯した罪を対処する血の継続的な効果を強調します。しかし、彼らはあたかも血があらゆることをするかのように考えているのです。事実上、彼らは過去と縁を切ることだけを意味する聖別を信じています。自分の犯した罪は、流された血を根拠に今までの全部が消し去られ、そのことによって神は人をこの世から聖別してご自分のものにされること、それが聖別であると信じています。そして彼らはここで止まってしまいます。このように彼らは、神の基本的な要求と神が備えられた全き備えを見ていません。このような考え方が不十分であるということは、もうおわかりになったと思います。また一方では、さらに先に進み、神は十字架上における御子の死にわたしたちを包含し、古い人を対処することによって罪と律法から解放してくださったことを認識している人がいます。これらの人は、主に対する信仰を真に働かせる人です。なぜなら彼らはキリスト・イエスを誇り、肉を頼りとしないからです(ピリピ三・三)。これらの人たちの内で、神は建造すべき明確な土台を持っておられます。これを出発点として、多くの人は、さらに前進して、正しい意味での献身とは、余す所なく自分自身を御手にささげ尽くして神に従うことであると認めます。しかし、これらのものはすべて第一歩です。わたしたちは、そこから出発することによって、神によって備えられた、しかも多くのクリスチャンが味わっている経験の面に触れました。それらの一つ一つは尊い真理の断片であって、決して真理全体ではないということを記憶すべきです。すべてが十字架上のキリストのみわざの結果としてわたしたちにもたらされます。わたしたちは、その一つをも軽んじることはできないのです。

門と道

クリスチャンの命と経験の中には種々の情景があることを認めます。それらの経験が必ずしも一定不変の順序で生じるのではないのですが、一定の段階あるいは特徴を持って生じるように思えるということに、今度は注意したいと思います。この一定の段階とは何でしょうか？　まず第一に、啓示です。すでに学んだように、啓示は信仰と経験に先立ちます。御言葉を通して、神は御子に関する事実の真実性に対してわたしたちの目を開いてくださいます。わたしたちが信仰によってその事実を自分のものとして受け取る時にのみ、それはわたしたちの生活の中で実際の経験となるのです。ですから次のように並べることができます。

(一)啓示(客観的)

(二)経験(主観的)

さらに進んでわたしたちは、このような経験は常に門と道という二面を持っていることに、注意を払います。これを、バンヤンの「天路歴程」に出てくるクリスチャンの経験を例証として考えると、大変役に立つと思います。彼は「狭い門」を通って「細い道」に入りました。主イエスも命に至るこのような門と道について語られました(マタイ七・十四)。またクリスチャンの経験もこれと一致します。そこで今度は次のように分類することができます。

(一)啓示

(二)経験(a)狭い門(門)

(b)細い道(道)

さて、今まで取り扱った題目を取り上げて、この事がそれらの題目を理解する上で、どのように役立つかを見てみましょう。まず、わたしたちの義認と再生を取り上げます。この二つは、わたしたちの罪のために十字架上でなされた贖いのみわざにおける、主イエスの啓示をもって始まります。それに続いて悔い改めと信仰が伴います。それによってわたしたちは神に「近くなった」のです(エペソ二・十三)。これは、さらに主との継続的な交わり(細い道)へとわたしたちを導きます。ここにおいて、日々わたしたちが神に近づく根拠は、やはり尊い血によるのです(ヘブル十・十九、二二)。次に、罪からの解放に来る時、わたしたちは再び三つの段階を見ます。聖霊の啓示のわざ、あるいは「知る」こと（ローマ六・六）、信仰の門、すなわち「認める」こと（ローマ六・十一）、献身する道を歩み続けること、あるいは命の新しさの中で歩むことにおいて自分自身を「神にささげる」こと（ローマ六・十三）、です。次に聖霊の賜物について考えてみましょう。これも御座に高く挙げられ主イエスを新しく「見る」ことに始まるのですが、それは注がれた霊と内住の霊の二重の経験をもたらします。さらに前進して、神を喜ばせることを取り上げてみれば、再びここでも、「肉」（人の自己の命全体）に関する十字架の価値がわかるために、聖霊の照らしが必要であることがわかります。このことを信仰によって受け入れる時、わたしたちはすぐに「狭い門」の経験へと導かれ（ローマ七・二五）、そこで「行ない」を中止し、神の実際的な要求を満足させるために、キリストの命の大能の働きを信仰によって受け入れるのです。引き続いて、聖霊に服従する歩み（ローマ八・四）という「細い道」へとわたしたちを導きます。

もちろん以上のことは、すべての場合に一定しているわけではありません。わたしたちは聖霊のみわざに対して一つの固定した型を決めないように注意しなければなりません。しかし、わたしたちに臨む経験は、おそらくこの線に沿ったものでしょう。いつの場合にも、まずわたしたちの目が開かれることによって、キリストとその完成されたみわざの新しい面を見ることです。そのようにして、信仰は一つの道に至る門を開くでしょう。またクリスチャンとしての経験の分類、すなわち義認、再生、聖霊の賜物、解放、聖別などの区分は、わたしたちの理解がさらに明瞭《めいりょう》になるためであることを覚えておきましょう。いつの場合でも、これらの段階がある定まった順序で行なわれるわけではありません。事実、もしキリストと彼の十字架が最初から十分に提示されているなら、十分な説明は後になされるとしても、わたしたちはクリスチャン生活の最初の日から多くの経験の中に入ったことでしょう。すべての福音伝道がこのようであれば、どんなにかすばらしいことでしょう！

しかし、一つのことは確かです。それは、啓示が必ず信仰に先立つということです。わたしたちは、神がキリストの中でなされたことを見る時に、自然に「主よ、感謝します！」という言葉が口をついて出て来ます。そして信仰が自動的に生じます。啓示は常に聖霊の働きです。聖霊はわたしたちに聖書の言葉を開き、わたしたちをすべての真理に導くために遣わされています(ヨハネ十六・十三)。そのためにこそ彼は地上におられるのですから、彼に依り頼みなさい。理解ができないとか、信仰が欠けているとかいう困難に直面した時は、直接彼に向かって言いなさい、「主よ、わたしの目を開いてください。主よ、この新しいことを、わたしにはっきり見せてください。主よ、不信仰のわたしを助けてください！」。主は決してわたしたちを失望させられません。

十字架の四重の働き

わたしたちはもう一歩先に進んで、主イエス・キリストの十字架によって成し遂げられた範囲の広さを考察してみましょう。クリスチャンの経験の光に照らし分析して見て、神の贖いのみわざの四つの面を考えることは、わたしたちが理解する助けになると思います。しかし、この際、キリストの十字架は一つの神聖な働きであって、決して多くの働きではないということを記憶しておかなければなりません。二千年前、ユダヤで主イエスは死んで復活されました。今は「イエスは神の右に引き上げられ」ています（使徒二・三三）。みわざは成し遂げられたので、再び繰り返される必要はなく、また付け加えるべきものもありません。

これから述べようとする十字架の四つの面のうち、すでに三つの面は、ある程度詳しく取り扱ってきました。最後の面は、次の二つの章で考察することにしましょう。ところで、この四つの面は次のように要約できると思います。

(一)キリストの血は、複数形の罪と罪の行為を対処する。

(二)キリストの十字架は、単数形の罪と肉と天然の人を対処する。

(三)キリストの命は、人の中に住み、人を新創造とし、人に力を与える。

(四)死が天然の人の中で働くのは、内住の命が次第に現されるためである。

最初の二つの面は、救いの解決策として用いられます。これらのものは、サタンのわざと人の罪とを無効にします。後の二つは、救いの解決策ではなく、積極的なものであり、神の目的達成と直接に関連しています。前の二つは、アダムが堕落によって失ったものを回復することに関連し、後の二つは、アダムが持たなかったものをわたしたちの内にもたらすことに関連しています。このようにして、わたしたちは死と復活により主イエスが完成されたみわざは、人の贖いのためのみわざと、神の目的達成を可能にするみわざとを包含することを知るのです。

わたしたちはすでに、主の死の二面、すなわち複数形の罪と罪意識のための血、および単数形の罪と肉のための十字架を考察してきました。永遠の目的という題目においては、第三の面、すなわち、一粒の麦であるキリストによって表される面について簡単に考察してきました。そして前の章では、わたしたちの命であるキリストを考察することにより、その実際面を少し見てきました。ところで第四の面「十字架を負うこと」に移る前に、もう少しこの第三の面、すなわち、キリストの復活の命が解放されて、人の内に住み、奉仕のために力を与えることを述べなければなりません。

創造における神の目的については、すでに述べました。またそれは、アダムが味わったものよりはるかに多くのものを含むことを述べました。ところで、その目的は何でしょうか？ 霊である神は、ご自身との交わりが可能である霊を持った人類を望まれたのです。彼らはご自身の命を持ち、神との協力によって敵のあらゆる企てを破り、また悪しきわざを無に帰せしめることによって、神の意図された目的を獲得すべきであるのです。それは神の大きな計画でした。さてそれは、どのように成し遂げられるでしょうか？ その答えは、再び主イエスの死に見いだされます。主イエスの死は、実に偉大な死でありました。それは積極的であり、目的を含んだものであり、失なわれた地位を回復することよりもはるか先に力を及ぼしているのです。なぜなら彼の死により、ただ罪と古い人が対処され、それらの効力が廃棄されるだけではなく、それ以上のもの、それより無限に大きなものが導入されるからです。

キリストの愛

これに関連して、非常に重要な二つの御言葉を読まなければなりません。その一つは、創世記第二章の御言葉であり、もう一つはエペソ人への手紙第五章の御言葉です。

「そこで神である主が、深い眠りをその人に下されたので彼は眠った。それで彼のあばら骨の一つを取り、そのところの肉をふさがれた。こうして神である主は、人から取ったあばら骨を、ひとりの女に造り上げ、その女を人のところに連れて来られた。すると人は言った。『これこそ、今や、わたしの骨からの骨、わたしの肉からの肉。これを女と名づけよう。これは男から取られたのだから』」(創二・二一—二三)。

「夫たちよ、キリストが召会を愛して、彼女のためにご自身を捨てられたように、あなたがたの妻を愛しなさい。それはキリストが召会を聖化し、言葉の中の水の洗いによって召会を清めるためであり、またそれは、彼がしみやしわや、そのようなものが何もない召会を、栄光の様でご自身にささげ、召会が聖《きよ》くて傷のないものとなるためです」(エペソ五・二五—二七)。

創世記第二章を説明する御言葉は、聖書の中でただの一箇所、すなわち、エペソ人への手紙第五章だけです。このエペソ人への手紙の御言葉をよく味わってみれば、実にすばらしいものを発見するに違いありません。ここでわたしは、「キリストが召会を愛して」という言葉の中に含まれている意味を指しているのです。ここに、実に最も尊いものがあります。

今まで、わたしたちは自分自身が贖われる必要のある罪人として考えるように教えられてきました。幾世紀にもわたって、このことがわたしたちの内に徐々に教え込まれてきました。このことを、わたしたちの出発点として考えることについて、わたしたちは神を賛美します。しかし、このことは神の目的ではありません。むしろ神は、「しみやしわや、そのようなものが何もない召会を、栄光の様でご自身にささげ、召会が聖くて傷のないものとなるためです」と語っておられるのです。わたしたちは今まで、あまりにもしばしば、召会とは単なる「救われた罪人」の集まりとしか考えてきませんでした。確かにそうです。しかし、わたしたちは、それだけではないのに、あたかもそれだけであるかのように考えているのです。救われた罪人という考えには、罪と堕落の全背景があります。しかし神の目から見れば、召会は御子にある神聖な創造物であるのです。前者は主として個人的な称号であり、後者は団体的な称号です。前者は消極的であり、過去に属するものです。しかし後者は能動的で、将来を見渡しています。「永遠の目的」とは、永遠の昔から神が御子について心に抱いておられた何かであり、御子がその命を現すために体を持たれるということを、その対象としているのです。この立場から見れば、神のみこころの立場から言えば、召会とは罪を越え、しかも罪に決して触れられたことのない何かです。

エペソ人への手紙においては、ほかの箇所でははっきりと表されていない主イエスの死の一面を見ることができます。ローマ人への手紙は、人の堕落の立場からすべてを見ており、「キリストは罪人、敵、不《ふ》敬虔《けいけん》な者のために死なれた」(ローマ第五章)ということから始めて、漸進的に「キリストの愛」(ローマ八・三五)へと導いていています。他方、エペソ人への手紙における立場は、「この世の基の置かれる前から」(エペソ一・四)神のものであった立場であり、福音の中心は、「キリストが召会を愛して、彼女のためにご自身を捨てられた」ことにあります(エペソ五・二五)。このように、ローマ人への手紙においては、「わたしたちは罪を犯した」ことが記され、そのメッセージは罪人に対する神の愛(ローマ五・八)です。一方エペソ人への手紙においては、「キリストが愛された」ということであり、その愛は妻に対する夫の愛として表されています。そのような愛は、罪とは根本的に無関係です。また、この御言葉は罪のための贖いを問題とするのではなく、召会の創造を内容としています。このためにこそ主は「ご自身を捨てられた」のです。

このように主イエスの死には、全く積極的な面、特に彼の召会に対する愛の物語と関係があり、そこには罪や罪人の問題は直接関係がありません。これを一層明らかにするため、パウロは創世記第二章の出来事を例証として取り上げています。これは、御言葉の最もすばらしい箇所の一つであり、もしわたしたちの目が開かれて、それを見るなら、わたしたちは敬虔な思いをもって神を礼拝するでしょう。

創世記第三章からの記事、「皮の着物」からアベルの供え物に至るまで、さらにそこから全旧約聖書を通して、罪の贖いとして主イエスの死を表徴する数多くの予表があります。しかし使徒パウロは、数多い主イエスの死の予表を選ぶのに、この創世記第二章以外の所に目を向けていません。このことに心を留めましょう。次に罪が入ってきたのは、第三章以降であったことを思い浮かべましょう。旧約聖書には、罪と何の関係もないキリストの死の予表が一つあります。なぜなら、それは堕落以前のことであるからです。わたしたちはその型を創世記第二章に見るのです。今しばらく、このことに目を留めてみましょう。

アダムは眠らされました。これはエバが重大な罪を犯したからであると言えるでしょうか？　このように聖書は言っているのでしょうか？　絶対にそうではありません。なぜならエバはまだ創造されていなかったからです。ここにはまだ道徳的な問題は少しも含まれていません。アダムは、彼自身から何ものかが取り出されて、別の人が造られるという特別な目的のために眠らされたのです。アダムが眠らされたのは、エバの罪のためではなく、エバが存在するためであったのです。これが創世記の教えている事柄です。

このアダムの経験は、エバの創造を目的としており、神のご計画において決定されたところのものであったのです。神は女(イシャー)を望まれました。そこで人(イーシュ)を眠らせ、その脇腹《わきばら》からあばら骨を一本取り、それでイシャー、すなわち女を造って、人の所へ連れて来られました。これが神による描写です。それは贖いを第一義に示しているのではなく、アダムの眠りは主イエスの死を予表しているのです。

言うまでもなく、主イエスは贖いのために死なれました。そうでないと言うことは許されないことです。神を賛美します。主はそうされました。ここでわたしたちが記憶しなければならないのは、現在わたしたちは実際にはエペソ人への手紙第五章にいるのであって、創世記第二章にいるのではないということです。エペソ人への手紙は堕落の後に書かれ、その堕落の影響を被った人々にあてられたものです。そこには創造の目的だけでなく、堕落の傷跡も記されているのです。そうでないなら、「しみ」とか「しわ」とかについて書く必要はなかったでしょう。わたしたちはまだこの地上にいるのであり、堕落は歴史的事実であるので、清くされる必要があるのです。

しかし、わたしたちは常に贖いというものを、神の目的という直線上に起こった悲劇的な破壊を回復する「緊急」の処置として見なければなりません。贖いは実に偉大であり、驚くべきことであって、わたしたちの視野の大きな部分を占めるのに十分です。しかし神はわたしたちに、あたかも人は贖われるために創造されたかのように、贖いをもってすべてとしないようにと語っておられます。アダムの堕落は、神の目的という直線上における悲劇的な地すべりであり、贖いはわたしたちの罪がぬぐい去られ、わたしたちが元の状態に帰されるための幸いな回復であるのです。しかし、このことが成就された後にも、アダムが所有していなかったものを得させ、また最初に神が望んでおられたものを実現するためになすべきわざが、依然として残っているのです。というのは、神はこの直線で表されている目的を、決して捨てられないからです。命の木が予表する神の命を、アダムは持っていませんでした。しかしながら、主イエスが死と復活によってなされた一つの働きのゆえに(ここで、死と復活は一つの働きであることを今一度強調しなければなりません)、彼の命は、信仰によってわたしたちのものとするため提供されているのです。そのために、わたしたちはアダムがかつて所有していた以上のものを受けたのです。わたしたちがキリストを命として受けることにより、神の目的はわたしたちの手の届く所にまで近づくのです。

アダムは眠らされました。キリストの信者は死んだのではなく、むしろ眠りについたと言われることを、わたしたちは記憶しています。それはなぜでしょうか? 死を言う時には、その背景には必ず罪があるからです。創世記第三章において罪が世に入り、罪によって死が世に来ましたが、アダムの眠りはそれよりも先でした。ですから主イエスの予表は、ここで旧約聖書の他の予表とは違っています。罪と贖いに関係ある場合は、小羊か雄牛がほふられます。しかし、ここでアダムはほふられたのではなく、再び目を覚ますために眠らされたのです。このようにして彼は、罪のための死ではなく、復活において命が増し加わる意味での死を予表しているのです。そしてまたエバが、アダムの創造と平行して別個の創造物として別に造られたのでもないことに注意してください。アダムが眠り、そのアダムからエバが造られたのです。またこれは神が召会に対してなされる方法です。神の「第二の人」は「眠り」から覚めて、彼の召会は彼の中で、また彼から取り出されたものとして創造されました。召会は彼より命を引き出し、その復活の命を現すのです。

神はひとり子である御子を持っておられますが、そのひとり子が兄弟を持つことを望んでおられます。御子はひとり子の立場から長子となり、神はただひとり子の御子の代わりに多くの子たちを持たれるのです。一粒の麦が死んで、多くの麦が芽を出すのです。最初の麦は、初めは一粒の麦でしたが、今は多くの麦を生じるための最初の麦と変えられたのです。主イエス・キリストは命を捨て、その命が多くの命となって現れました。以上の表徴が、今までわたしたちがこの真理を表すために用いてきた聖書的な表徴です。ところで、たった今、わたしたちが考えた事柄においては、単数が複数の占める位置にあります。すなわち、主の十字架の結果は単数形でも表される御子のための一人の花嫁です。キリストは召会を愛し、そのためにご自身を捨てられたのです。

一つの生きた供え物

エペソ人への手紙第五章で示されているキリストの死の面が、ローマ人への手紙で学んできたものとは、相当違うということをすでに語りました。しかし、事実上、エペソ人への手紙による面は、わたしたちのローマ人への手紙の研究が目指す目的にほかならないのです。今わたしたちが学ぼうとしているように、この書簡がわたしたちを導いていくのは、この方向に向かっているのです。なぜなら贖いはわたしたちを、神の最初の目的へと導き帰すからです。

第八章においてパウロは、キリストは霊によって導かれる「神の子たち」（ローマ八・十四）のうちの長子であると言っています。「なぜなら、神はあらかじめ知っておられた者たちを、御子のかたちに同形化しようと、あらかじめ定められたからです。それは、御子が多くの兄弟たちの間で長子となるためです。そして神はあらかじめ定めた者たちを、さらに召し、そして召した者たちを、さらに義とし、そして義とした者たちを、さらに栄光化されました」(ローマ八・二九、三〇)。ここで義認は栄光へと導くことがわかります。その栄光は、一個人、あるいは一層多くの個人を通して表されるのではなく、キリストのかたちに似た一つの団体を通して現されるのです。この贖いの目的は、すでに学んだように、ご自身のものに対する「キリストの愛」において示されています。このキリストの愛は、この章の最後の数節(八・三五—三九)の主題となっています。しかし第八章で暗黙のうちに書かれているものが、第十二章にはっきりと説明されています。第十二章の主題はキリストのからだです。

わたしたちが学んできたローマ人への手紙の最初の八章の後には、先の八章の主題に戻る前に、イスラエルに対する神の絶対的な取り扱いについての挿入文があります。このように、わたしたちの現在の目的のために、第十二章の論旨は第十一章にではなく、第八章に続いているのです。ここで、次のように各章を要約してみましょう。わたしたちの罪は赦されている(第五章)、わたしたちはキリストと共に死んだ(第六章)、わたしたちは生まれながら全く無力なものである(第七章)、それゆえに、わたしたちは内住の霊に頼る(第八章)、以上のことの後に、またこの結果として、わたしたちは「キリストの中で一つのからだ」(第十二章)なのです。あたかもこのことが、今までになされてきたすべての論理の帰着点であり、またすべてのことが、この点に向かって導かれてきたかのように思えます。

ローマ人への手紙第十二章とその後に続いている章は、わたしたちの生活と行為に対する極めて実際的な教訓を含んでいます。これらのことを述べるに当たって、献身が再び強調されています。第六章十三節において、パウロは「死人の中から生きている者として、神にささげ、そしてあなたがたの肢体を義の武器として、神にささげなさい」と言いました。しかし今、第十二章一節においては、その強調点は少し異なっています、「兄弟たちよ、こういうわけで、わたしは神の慈しみを通して、あなたがたに勧めます。あなたがたの体を、神に喜ばれる、聖なる、生きた供え物としてささげなさい。それが、あなたがたの理にかなった奉仕です」。この献身の新しい勧めは、「兄弟たち」であるわたしたちになされています。ここで「兄弟たち」という言葉は、わたしたちの思いを第八章二九節の「多くの兄弟たち」という言葉に結び付けます。ですからこの勧めは、一つの信仰による共同の段階、すなわち、わたしたちの体を神に対する一つの「生きた供え物」としてささげよとの呼びかけです。これは、単なる個人的な領域を越えた勧めです。というのは、それが全体に対する献身を意味しているからです。「ささげる」というのは個人的なことですが、「供え物」は団体的なものであり、それは一つの供え物です。神に対する霊的な奉仕は一つの奉仕です。わたしたちは決して、自分をささげることが必要でないと考えてはいけません。というのは、もしそれが、その一つの全体的な奉仕の助けとなるならば、神は満足されるからです。そしてこのような奉仕を通して、わたしたちは「何が善であって、喜ばれ、完全なものであるかを」(ローマ十二・二)証明するのです。言い換えれば、イエス・キリストにある神の永遠の目的を認識するのです。ですからパウロの「あなたがた一人一人」(十二・三)に対する勧めは、「わたしたちも数は多いのですが、キリストの中で一つからだであり、そして各自は互いに肢体なのです」(十二・五)という新しい神の事実の光の中にあるのです。またこの基礎の上に立って、実際的な多くの教訓が続いているのです。

現在の時代において、主イエスがご自身を表すことができる器は、個人ではなく「からだ」です。「神がそれぞれに割り当てられた信仰の度量にしたがって」(十二・三)なのですが、単独の個人としては、神の目的を成就することは決してできません。彼の栄光を表すためには、キリストの身の丈の度量にまで到達した完全なからだを必要とするのです。このことが真にわかれば、何とすばらしいことでしょう。

ローマ人への手紙第十二章三節から六節は、人の体を比喩《ひゆ》として、わたしたち各肢体が相互に依存し合っているという教えを引き出しています。個々のクリスチャンはからだではなく、からだの肢体です。また人の体においては、「すべての肢体が同じ機能を持っていない」のです。耳は自分が目であると思い込んではなりません。どのように多く祈ったところで、耳が見えるようにはなりません。しかし、全体の体は、目を通して見ることができます。ですから(これは比喩的に言っているのですが)、わたしは聞くことができる賜物しか持っていないかもしれませんが、見る賜物を持っている他の人たちを通して見ることができるのです。あるいはまた、もしかするとわたしは歩くことはできても、働けないかもしれません。そうすれば、わたしは手の助けを受けるわけです。主の事柄に対してだれもが陥りやすい態度は「わたしが知っていることは知っているのであり、知らないことは知らない。そして知らなくても結構やっていける」という態度です。しかしキリストの中では、自分が知らないことでも、他の人たちを通して知るようになり、喜びを共にすることができるのです。

これはただ安易な考えでないことを強調させていただきたいと思います。それは神の民の命の中で極めて大切な要素なのです。わたしたちは相互関係なしに生活していくことができません。共に祈り合う重要性がここにあります。共に集まって祈ることは、からだの助けをもたらします。このことはマタイによる福音書第十八章十九節と二〇節で明らかです。自分自身で主に依り頼むだけでは、十分でないかもしれません。わたしは他の人たちと共に主に依り頼まなければなりません。わたしはからだと一つであるという基礎に立って、「わたしたちの父よ…」と祈ることを学ばなければなりません。なぜならからだの助けなしには、わたしはやり抜くことができないからです。奉仕の領域にあっては、このことは一層明白です。わたし個人では効果的に主に奉仕することができません。しかも主は、このことをわたしに教えるのに労苦を惜しまれないのです。主は物事を行き詰まらせ、すべてのドアを閉じ、わたしが主の助けを必要とするのと同様に、からだの助けをも必要とすることを認めるまで、行き詰まらせ、むなしく自分の頭を壁に打ち続けるままにさせておかれるのです。キリストの命はからだの命であるのです。また主がわたしたちに与えてくださった賜物は、からだを建造するためにわたしたちに与えられているのです。

このからだは単なる比喩ではありません。これは一つの事実です。聖書は、召会はあたかも体のようであると述べているのではなく、それはキリストのからだであると述べているのです。「わたしたちも数は多いのですが、キリストの中で一つからだであり、そして各自は互いに肢体なのです」。すべての肢体を一緒にしたものが、一つ「からだ」であるのです。なぜなら、すべてのものが主の命にあずかるからです。あたかも主ご自身が、その肢体の間で分け与えられたかのようです。わたしはかつて、ある中国人のクリスチャンの群れと共にいたことがありますが、その人たちは、からだを構成している者が個々の独立した男女であるのに、どうしてからだが一つであり得るのか理解に苦しんでいました。ある主日に、パンさきの集会でパンをさこうとしていたので、わたしはその前に彼らに向かって、よく注意してパンを見るようにと言いました。そしてパンがさかれて、彼ら一人一人に分け与えられ食べられた後、わたしはそれが今、すべての者の中に入っていますが、依然としてそれは多くのパンでなく、一つパンであると指摘しました。パンは分け与えられました。しかしキリストは、パンがさかれたという意味においてすら、分けられたのではありません。キリストは、依然としてわたしたちの中で一つ霊であり、わたしたちはみな彼の中で一つです。

このことは天然の人の状態とは正反対のものです。アダムの中でわたしはアダムの命を持つのですが、それは本質的に単独のものです。罪の中で結合も交わりもなく、あるのはただ自己の利益と他への不信です。ですからわたしが主と共に前進する時、罪の問題と天然の力が対処されなければならないことをすぐ発見します。しかしそれだけではなく、わたしの「個人的な命」すなわち、自分自身において満足し、からだの必要とからだの結合とを認めない命によって生じる問題を発見するのです。わたしはすでに罪と肉との問題を解決しているかもしれませんが、しかしそれでもまだ頑固な個人主義者です。わたしは単独で個人的に聖別され、個人的に勝利を得、また個人的に多くの実を結びたいのです。確かに純粋な動機からではありますが、そのような態度はからだを無視することであり、それゆえに神を喜ばせることはできません。それゆえ神は、この事柄においてもわたしを対処されなければなりません。そうでないと、わたしは神の目的と衝突することになります。神は、わたしの個人であることをとがめませんが、わたしの個人主義はとがめられます。神にとって最も大きな問題は、彼の召会を分ける外面的な分裂や教派ではなく、わたしたち自身の個人主義的な心なのです。

確かに、主の十字架は、ここでも働かなければなりません。十字架によってわたしはキリストの中でアダムから受け継いだ独立の古い命に対して死にました。また復活の中でわたしはキリストの中で個々のキリスト信者になったのではなく、主のからだの一肢体になったことを思い起こさせます。この両者の間には非常な相違があります。このことを見た時、わたしは直ちに個人単独を捨て交わりを求めます。わたしの中にあるキリストの命は、他の人たちの中にあるキリストの命に引き付けられます。わたしはもはや勝手気ままなことはできません。ねたみは消え、競争心も去り、個人の働きもなくなります。自己の関心も自己の野心も好き嫌いも、すべてがなくなるのです。わたしたちのだれがその働きを行なったかではありません。わたしたちの関心は、からだの成長です。

わたしは「このことを見た時」と言いました。これこそ重大で神聖な事実です。キリストのからだが大きな神の事実であることを見、また天の啓示によって「わたしたちも数は多いのですが、キリストの中で一つからだであり」という事実が、わたしたちの霊の中に入り込むこと、それは極めて重要なことです。聖霊だけが、ここに含まれたあらゆる意味をわたしたちに理解させます。そして主がそのことをされる時、わたしたちの生活と働きとは革命的な変化を持つことでしょう。

彼を通して勝ち得て余りがある

わたしたちは歴史を、ただ堕落にまでさかのぼって見るにすぎません。しかし神は、それを初めから見られます。人の堕落以前に神はある考えを持っておられました。それは、来たるべき時代に完全に実現されます。神は罪と贖いのすべてをご存じでした。それにもかかわらず、創世記第二章の召会に対する神の大いなる目的の中には、罪は見られません。それは人の有限な言葉によって語るならば、神は贖いの物語を全歴史のはるか先まで考え、全く罪から離れて全面的に神に属する奉仕と、未来の歴史を持つ永遠の将来の召会を見通しておられたようです。それが栄光の中にあるキリストのからだです。それは、堕落した人に属するものを表すのでなく、ただ栄光を受けた人の子のかたちを表しているのです。これこそ神の心を喜ばせる召会であり、また最高の地位に到達した召会です。

エペソ人への手紙第五章において、わたしたちは贖いの歴史の中に立っています。しかも、それにもかかわらず、「栄光の召会を、彼がご自身にささげるためです」という言葉にあるように、神の永遠の目的を、恵みを通して見ているのです。しかし現在は堕落によって損なわれていますが、今わたしたちは、栄光の中でキリストにささげる召会を備えるために、命の水と洗い清める言葉が必要であることに注意するのです。なぜなら現在は欠点を補なわれ、傷をいやされなければならないからです。しかも、この約束は何と尊く、召会に対して用いられている言葉は、何と恵み深いものでしょう！「しみもなく」——罪の傷あと、罪の歴史そのものも忘れられ、「しわもなく」——すべてのものが完成され、すべてのものが新しくなるために、失われた年月のしるしも失われ、「傷のない」――それゆえサタンも悪鬼も人も、召会をとがめる余地がありません。

現在、わたしたちは次のような立場に立っています。今や終わりの時が近づいており、サタンの力はかつてなかったほど大きくなっています。わたしたちの戦いは、天使、支配、権威(ローマ八・三八、エペソ六・十二)に対するものです。これらのものは神の選ばれた人々に多くの非難を投げかけることによって、わたしたちの内にある神のわざに敵対し破壊しようとしています。わたしたちは、決して単独では彼らに立ち向かうことができません。しかし、わたしたちが個人ではできないことを、召会はなし得るのです。罪、自信、個人主義は、人に対する神の目的の核心を破壊するサタンの最大の武器であり、神はそれらのものを十字架で対処されたのです。わたしたちは神がなされたこと、すなわち「神は義とされる」ということ、及び「キリスト・イエスは死んでくださった」こと(ローマ八・三三、三四)を信じる時に、ハデスの力も打ち勝つことのできないとりでを築くことになるのです。彼の召会であるわたしたちは、「わたしたちを愛してくださった方を通して、わたしたちは勝ち得て余りがあります」(ローマ八・三七)。

第十二章　十字架と魂の命

神はキリストの十字架において、わたしたちの贖いのために十分な備えをしてくださいました。しかし、神はそれだけにとどまってはおられませんでした。その十字架において、神は失敗の可能性のない安全性をも確立してくださったのです。それはパウロが、「万物を創造された神の中に、各時代にわたって隠されてきた」と語ったあの永遠のご計画なのです。そのご計画を神は、今、こう宣言しておられます、「それは今、天上にある支配たちや権威たちに、神の多種多様な知恵を、召会を通して知らせるためであり、神がわたしたちの主キリスト・イエスの中で立てられた、永遠のご計画にしたがっているものです」（エペソ三・十、十一）。

わたしたちは十字架の働きが二つの結果を持ち、それらは直接わたしたちの内で神の目的を実現することと関係があることをすでに述べました。一方において、十字架の働きは、キリストの命が内住の霊を通してわたしたちの内で現されるため、彼の命を解き放しました。他方においては、「十字架を負う」ことを可能にしました。この十字架を負うことは、キリストの死が日々内側で働くため主と協力することによって、「天然の人」が次第に聖霊の支配下に入り、その結果、新しい命が現されるようになることを意味します。この二つは、明らかに一つのことの積極面と消極面です。またこれと同じく明らかなことは、わたしたちは今やさらに詳細に、神のために生きる生き方の過程に触れているということです。今まで、クリスチャン生活を取り扱うに当たって、わたしたちはこの生活に入るための転機を特に強調してきました。今やわたしたちの関心事は、さらにはっきりと弟子としての歩みに関してであり、これは神のしもべとして受けるべき訓練であることを特に見る必要があります。主は弟子たちに、「だれでも自分の十字架を担って、わたしについて来ない者は、わたしの弟子となることはできない」と言われました(ルカ十四・二七)。

このように、わたしたちは天然の人と「十字架を負う」ことについて考察する点にまできました。このことを理解するためには、くどくなりすぎる危険を犯してでも、もう一度創世記に戻り、神が初めに人の内に持とうとされたものが何であるか、そしてその目的がどのようにして無に帰したかを、考えなければなりません。このようにして、わたしたちはこの目的に沿う生き方へわたしたちを再び立ち帰らせるための原則を、把握することができるようになります。

堕落の真の性質

もしわたしたちが神のご計画について少しの啓示でもあれば、「人」という言葉について多くのことを常に考えるようになるでしょう。わたしたちは詩篇の記者と共に、「人とは、何者なのでしょう。あなたがこれを心に留められるとは。人の子とは、何者なのでしょう。あなたがこれを顧みられるとは」と言うでしょう。聖書は、人は万物にまさって神が望みをかけておられるものであることを明らかにしています。人こそ神の心にあるものです。

このように神は人を創造されました。創世記第二章七節で見ることができるように、アダムは内側に神と交わるための霊を持ち、外側には物質の世界と接触する体を持つ生きた魂として造られました。(新約聖書のテサロニケ人への第一の手紙第五章二三節、ヘブル人への手紙第四章十二節などの御言葉は、この人を構成する霊、魂、体の三部分を明確にしています)。アダムは霊によって神に属する霊の世界と触れ、体によって物質の世界と接触しました。神は、アダムが一個の人格を持った存在、この世界で生きている実体であり、自分で活動し、自由に選択する力を持つ存在となるために、霊と体の二面を彼の中に集められたのです。このようにして全体として見る時、アダムは自我意識と自己表現を持つ存在、すなわち、「生きた魂」であることがわかります。

わたしたちはすでに見ましたが、アダムは完全な者として創造されました。ということは、神によって造られた存在として欠点のない者であったということを意味しています。ところが、それでもなおアダムは完成されていなかったのです。アダムは最後の仕上げをする必要がありました。神は、アダムの中に行なおうともくろんでおられたことを、まだすべてを成し終えておられませんでした。目指す所はさらに高かったのですが、それは一時中止されたままになっていたのです。神は人を造られた目的を完成する方向へと動いておられました。その目的とは、人自身の力を越えた彼方に及んでいました。なぜなら、それは人の手を通して全宇宙のあらゆる神の権限を御手に確保するということを考えておられたからです。しかし、どのようにすれば人はこの意味で神に役立つ者となり得るでしょうか？　それはただ神と結合された生活から出てくる協力によってのみ可能です。神は単に地上で一つの血のつながった人の種族を持とうとしておられたのではなく、さらに一人一人に神の命が宿ることを欲しておられたのです。このような人々は、サタンの失墜という目的を達成し、神の心の願いをすべて成就するに至ります。このことを考えに入れて人は創造されたのです。

次にわたしたちは、アダムが中立的存在として造られたことを見ました。アダムは、神との交わりを保つことを可能にする霊を持っていました。しかし彼は、まだ人として最終的な仕上げをされていませんでした。アダムは選択する力を持っていたので、もし望むなら、反対の方向へも進み得たのです。神の人に対する終極の目的は「子たる身分」、言い換えれば、神の命を人において表現することでした。その神の命は、エデンの園においては命の木で代表されており、その命の木は、受け入れ、それを取って食べることのできる実を結びました。もし中立的存在として造られたアダムが、みずからその道に進み、神に依り頼む道を選んで、神ご自身の命を示す命の木を受け入れていたならば、神はその命を人と結び合わせてくださったことでしょう。すなわち「子たる身分」を実現してくださったことでしょう。しかし、もしアダムがその代わりに善悪の知識の木に向かったなら、神から離れて、自分の力により自己を成長させる自由を持つ結果となるのです。しかしながら、この後者を選択することは、サタンとの共犯という結果を招くために、アダムは神が定められた目的を自己の到達し得ない彼方へと追いやってしまうことになるのです。

根本的な問題――人の魂

わたしたちはアダムが選んだ道を知っています。二本の木の中間に立って、彼はサタンに屈服し、善悪の知識の木の実を食べました。このことが彼の成長の方向を決定したのです。それ以後、彼は知識を働かすことができました。彼は「知った」のです。しかし、ここでわたしたちは重大な点に来ました。善悪の知識の木の実は、この最初の人を自己の魂において異常に成長した人としたのです。まずアダムの感情が触れられました。なぜなら、その実は見た目には美しく、「好ましい」感情を起こさせたからです。理性の力を持った思いは発展しました。なぜなら彼が「賢くなった」からです。そして彼の意志は力を増しました。そのため彼は、彼が将来どの道に進んで行くかを常に決めることができました。その実の全体が、彼の魂を大きくし、魂を十分に発展させたのです。その結果、ただ彼は生きた魂であるにとどまらず、その時から魂によって生きるようになったのです。それは単に人が魂を持つだけでなく、その日から魂が独立して自由に選択する力を持ち、霊に取って代わり、魂が人を動かす力となったことを意味しています。

　わたしたちはここで二つのことを識別しなければなりません。なぜなら、その相違は最も重要であるからです。神は、アダムに与えられた意味での魂をわたしたちが持つことは、構わないと思っておられます。事実、神はそのように定めておられます。しかし、神が行なうようにと心に定めておられることは、何かをひっくり返すことです。現在、人の問題は、人の内側にただ魂があるだけでなく、魂によって生きることを定めている何かがあります。サタンが堕落を引き起こしたのは、ここに原因があります。サタンは、人が魂から命を取り出して、その魂が成長するような道を取るように、わなをしかけたのです。

　しかしながら、わたしたちは注意しなければなりません。この問題を挽回することは、魂を完全に取り消してしまうという意味ではありません。そうすることはできません。現在、十字架はわたしたちの内で働いていますが、わたしたちは自分で動く力を失ったり、無感覚になったり、あるいは個性を失ったりするのではありません。そうではありません。わたしたちは依然として魂を持っています。わたしたちが神から何かを受ける時はいつも、魂はそれと関連して、器、機能として、神に対して真に服従する中で用いられるのです。しかし重要な点があります。わたしたちは神の定められた限界、すなわち、最初エデンの園において設けられた魂の限界を守っているでしょうか？　それとも、この限界を越えてしまっているでしょうか？

今、神がしておられることは、ぶどう園の人のせん定する働きです。わたしたちの魂には、制御し得ない発展、季節はずれの成長があり、それはチェックして対処されなければなりません。神はそれを切り捨てなければなりません。このようにして、わたしたちの前には、わたしたちが目を注ぐべき二つの事柄があります。一方において、神は御子の命によって生きる所へと、わたしたちを連れて行くことを求めておられます。他方において、善悪の知識の木の実の結果である天然の力を破壊するために、神はわたしたちの心の中で直接働いておられます。毎日わたしたちはこの二つの学課を学んでいます。キリストの命の盛り上がりと、魂に属する命をチェックして、それを死に渡すことです。この二つの過程は、絶えず続けられます。なぜなら神はご自身を現すために、わたしたちの内で御子の命が十分に成長することを求めておられるからであり、この目的を達成するために、わたしたちの魂をアダムの出発点に引き戻そうとしておられるからです。それゆえパウロはこう言っています、「なぜなら、わたしたち生きている者はイエスのために、絶えず死に渡されているからであり、それはイエスの命が、わたしたちの死ぬべき肉体に現れるためです」（Ⅱコリント四・十一）。

これはどういう意味でしょうか？　それは、神に頼らずには何一つ行なわないという意味です。わたしは自分自身の内に十分なものがないことを知っています。わたしは、自分に行なう力があるという理由だけによっては、どのようなことにも手をつけません。わたしは自分のうちに天然の力を持っていますが、それを用いません。わたしは自分自身には信頼を置かないのです。あの善悪の知識の木の実を食べることによって、アダムは自分で行なう力を所有する者となりました。しかし、その力はサタンに操られるのに好都合であったのです。あなたは主を認識するようになった時、行動する力を失います。主はその力を切り落とされるので、あなたはもはや自己の主体性に立って行動することはできません。あなたは別の方の命によって生きなければなりません。すべてを彼から引き出さなければならないのです。

愛する兄弟姉妹、わたしたちはみな自分というものをある程度は知っています。しかし、多くの場合、自分自身を見つめて真に戦りつしないのです。わたしたちは神に対する礼儀から、「もし主がそれを望んでおられないなら、わたしはそれをすることができません」と言うかもしれません。しかし実際には、わたしたちの潜在的な意識は、たとえ神が行なうことを求められず、またそのための力を与えてくださらなくても、自分自身で立派にやり遂げられると思っているのです。あまりにも多くの時、わたしたちは神から離れて自己で行動し、自己で考え、自己で決定し、自己の能力を持つように仕向けられました。今日のクリスチャンの多くは、発育過剰の魂の持ち主なのです。わたしたちの自己はあまりにも巨大に育ちすぎています。わたしたちは「魂の肥大症」となっています。このような状態にある時、わたしたちの内にある神の御子の命は制限され、彼はわたしたちの中で行動することができなくなっています。

天然の力と神の働き

魂の力、魂の能力は、わたしたちすべての者に存在します。主の教えを受けた人は、その原則を命の原則と見なすことを拒否します。また彼らはその命によって生きることを拒否します。この人たちは、魂の力が支配権を握ったり、あるいは神の働きの力の源となることを許しません。しかし神の教えを受けていない人々は、それに依存します。彼らはそれを利用し、それが唯一の力であると考えます。

まず、このことについてわかりやすい例証を挙げてみましょう。わたしたちのあまりにも多くの者が過去において次のように考えてきました。ここに、すばらしく立派な性格を持ち、頭脳は明せきで、管理する能力に恵まれ、健全な判断力を備えた人がいるとします。わたしたちは心の中でこう言います。「もし、あの人がクリスチャンになることができたら、それは召会にとって何とすばらしい資産になるだろう！もしあの人が主に属する者であったら、主のためにどんなにすばらしいことがなされるだろう！」。

しかし、ちょっと考えてください。この人の良い性質はどこに由来するでしょうか？またこのようなすばらしい管理する手腕や優れた判断は、どこから来ているのでしょうか？それは再生からは来ていません。なぜなら彼はまだ生まれ変わっていないからです。わたしたちはみな肉から生まれた者であることを知っています。それゆえに再生が必要なのです。主イエスはこのことについて、「肉から生まれるのは肉であり……」（ヨハネ三・六）と語っておられます。再生によらず、わたしたちの天然の誕生から生じるいっさいのものは肉であり、それは神にではなく、人にのみ誉れをもたらします。この言葉はあまり快く耳に響きませんが、事実です。

わたしたちは魂の力とか天然の能力について語りました。この天然の能力とは何でしょうか？　それは簡単に言えば、わたしがなし得ること、わたし自身の状態、わたしが天然の賜物、及び天然の資源として受け継いだものです。魂の力を持たない人は、一人もいません。そしてわたしたちに第一に必要なことは、それがどのようなものであるかを認めることであります。

人の思いを例に取りましょう。わたしは生まれつき鋭い頭の持ち主であるかもしれません。わたしは再生より以前に、わたしの自然の誕生から芽生えて発達したものとして、それを自然に所有しました。しかし、ここに問題が起こります。わたしは悔い改め、新しく生まれ、深い働きがわたしの霊の中になされ、本質的な結合がわたしたちの霊の御父との間にもたらされます。それ以来わたしの内には、二つのものが存在するのです。すなわち、わたしは今わたしの霊の中に生じた神との結合を持つのですが、同時に、天然の誕生に由来する何かを持ち回っているのです。それについて、わたしはどうしようとしているでしょうか？

自然の傾向はこうです。以前、わたしは歴史について、事業について、科学について、世界の諸問題について、文学について、詩について考えるために、自分自身の知性を用いました。これらの研究に当たって、わたしは知性の力を十分に用いたのです。ところで今は、わたしの欲求は変わりました。しかし神の物事を研究するに当たっては、同じ知性を用いるのです。それゆえ、わたしは関心の対象を変えたけれども、考え方を変えたのではありません。ここに言おうとしているすべてがあります。わたしの関心は全く変化しました(神を賛美します!)。しかし今、わたしはかつて歴史や地理を研究するのに用いたのと同じ力を用いて、コリント人への手紙やエペソ人への手紙を学んでいるのです。しかし、その力は神からのものではありません。そして神はそのようなことを許されません。わたしたちの多くが出会う問題は、力を注ぐ方向を変えたのですが、この力の源を変えたのではないということです。

わたしたちは神の奉仕の中に、このような多くの天然のものを持ち込んでいることを見いだすでしょう。雄弁の問題を考えてみてください。一部の人は雄弁家に生まれついていて、非常に説得力のある表現を用いて人に語ることができます。このような人が悔い改めると、わたしたちは彼が霊的な物事に関してどのような立場に立っているのかを問わずに、彼をメッセンジャーにします。わたしたちは彼が天然の力をメッセージの宣べ伝えに用いるようにと励まします。この場合にも、方向は変わったのですが、力は依然として同じであるのです。神の事柄を扱うための力については、比較できる価値ではなく、どこから力が出ているか、その源が問題であることを、わたしたちは忘れているのです。何をしているかはあまり問題ではなく、どんな力を用いて行なうかが問題なのです。わたしたちは自分の力の源についてはあまりにも少ししか考えず、反面それが目指す目的についてはあまりにも多く考え、神にあっては目的が手段を正当化することはあり得ないということを忘れているのです。

次のような場合を仮定してみると、わたしたちの論議の真実性を証明するのに役立つでしょう。A氏は非常に話し上手で、流ちょうにどんな主題にも最も説得力のある話をすることができるのですが、実際的な事柄となると、非常に下手な経営者です。ところがB氏は、話しは下手で、はっきり言いたいことを表現することができず、主題の周りをさまよってばかりいて、決して要点に来ることがありません。しかし、別の面では彼はすばらしい経営者であり、事業のすべての問題において最も適任なのです。この二人が悔い改めて、二人とも非常に熱心なクリスチャンになります。さて今、わたしがこの二人を訪ねて、集会で語ってくれるようにと頼み、二人とも承知したとしましょう。

さて、どんなことが起こるのでしょうか？　わたしは、全く同じことを二人に頼んだのですが、どちらがより熱心に祈ったと思いますか？　もちろんB氏です。なぜなら、彼は話し上手ではないからです。雄弁という点では、彼は自分には頼る力を持っていないのです。彼は、「主よ、もしこのための力を与えてくださらないなら、わたしは話すことができません」と祈ります。もちろんA氏も祈るでしょう。しかし、おそらくB氏と同じ祈り方ではないでしょう。なぜなら彼は頼りにできる生まれつきの力を持っているからです。

さてここで、次のように仮定してみましょう。話すことを求める代わりに、集会の仕事の実際的な面を担当するように、この二人に依頼します。どんなことが起こるでしょうか？　立場がちょうど反対になりました。今度はA氏が熱心に祈る番になりました。なぜなら、彼は自分には組織する能力がないことを十二分に承知しているからです。もちろんB氏も祈るでしょうが、おそらく同じような切実な思いではないでしょう。というのは、自分が主を必要としていることは知っているにもかかわらず、事務の事柄については、A氏ほど欠陥があるという意識を持っていないからです。

生まれつきの才能と霊的な賜物との相違が、これでおわかりでしょうか？　祈ることもなく、神に全く依存することもなく行なうことのできることは何でも、すべて天然の命の泉から生じているのであり、それについては注意を払う必要があります。わたしたちはこのことをはっきりと見なければなりません。とは言っても、ある特定の仕事に適している人は、そのための天然の才能を持っていない人だけであるということは、もちろん真実ではありません。要点は、生まれつき自然に備わった才能であっても、そうでなくても、あらゆる天然のものの上に十字架の死の働きがなされなければならず、また復活の神に全く依り頼む必要があるということです。わたしたちは優れた生まれつきの才能を持つ隣人を見て、あまりに容易にうらやましがります。しかし、もし自分自身がその才能を持てば、十字架の働きによらなければ、神がわたしたちの内に現そうとされる働きの妨害となることを認めないのです。

わたしは悔い改めて間もなく、村々へ伝道に出かけました。わたしは高い教育を受け、聖書をよく知っていました。そのためわたしは、文盲の婦人が多く混じっている村人たちに教えるには、十分の能力を持っていると思い込んでいました。しかし、数回の訪問の後に、文盲であるにもかかわらず、この婦人たちは主を深く認識していることを発見したのです。わたしは、この人たちがつっかかりながら読む「聖書」を知っていました。しかしこの人たちは、この「聖書」が語っている「お方」を知っていたのです。わたしは肉にあって多くのものを持っていました。しかし、その人たちは霊の中で多くのものを持っていたのです。今日どれほど多くのクリスチャンの教師が、かつてのわたしのように他の人を教えるのに、肉の武器に多く頼っていることでしょうか！

ある時、わたしは若い兄弟に会いました。若いというのは信仰のことではなく、年齢のことです。しかし、その人は、主について多くのことを学んでいました。主はこの兄弟に、ご自身についての知識を得させるため、多くの苦難の中に導かれたのでした。わたしは彼と話している時、「兄弟、そのころ主は、実際に何を教えられましたか?」と尋ねました。すると彼はこう言いました。「ただ一つのことです。それは、わたしが主から離れては何一つなし得ないということです」。「あなたが何もできないとおっしゃるのは、本当にそういう意味においてであったのですか?」。彼は答えました、「そうではありません。わたしは多くの事ができます! 事実、まさにそのことがわたしの悩みであったのです。わたしは自分というものに確信を抱いていました。わたしは多くのことをすることができることを知っていたのです」。そこでわたしは問い返しました、「では、あなたが主から離れては何一つなし得ないと言われるのは、どういう意味ですか?」。すると彼は答えました、「主は、わたしが何事でもすることができることをお示しになりました。しかし、主は『わたしから離れては、あなたは何もすることができない』と言われました。そこで、こういうことになります。わたしが主から離れてしたすべてのこと、また主から離れてなし得るすべてのことは、無であるのです!」。

わたしたちは、同じような評価をしなければなりません。わたしたちは多くの事柄ができないと言おうとしているのではありません。なぜなら、わたしたちは多くの事柄をなし得るからです。わたしたちは集会を開き、召会を建てることができます。わたしたちは地の果てまでも行って、伝道団を設立することができます。そして、わたしたちは実を結ぶように思われることができます。しかし、主の御言葉は次のように語っていることを忘れてはなりません。「わたしの天の父が植えなかった物はすべて、根こそぎにされる」(マタイ十五・十三)。神は宇宙における唯一の正当な創始者です(創一・一)。あなたが計画し、着手することはどんなことでも、その源を肉に持っています。そのため、どんなに熱心にその上に神の祝福を願い求めても、霊の領域には決して到達しないのです。それは長年続くかもしれません。またあなたはここを調整し、そこを改善して一層良いものにすることができると考えるかもしれません。しかし、それは成し遂げることができないのです。

事柄の終結は、その源によって決まります。元来「肉に属するもの」は、どれほど「改良」を加えたとしても、霊に属するものとはされません。肉から生まれたのは肉であり、決してそれ以外のものにはなりません。わたしたちが自分自身で満足しているもののすべてが、神の評価では「無」です。わたしたちはこの神の評価を受け入れて、「無」と記入しなければなりません。「肉は何の役にも立たない」のです。長続きするものは、上よりのものだけです。

わたしたちは、単に聞くだけではこのことを知ることができません。神はあるものの上に指を触れて、「これは天然のものです。これは古い創造のうちに源を持っていますから、長続きすることができません」と言われることによって、この意味を教えなければなりません。神がそうされるまでは、わたしたちは原則的にはそうだと思うのですが、決して真実にそれを知ることはありません。わたしたちはその教えに同意し、それを喜びさえするでしょうが、決して自分自身を忌み嫌ってはいないのです。

しかし、神がわたしたちの目を開いてくださる日がついに来ます。ある特定の出来事に直面して、わたしたちは啓示により、「それは汚れています。それは不純です。主よ、わたしはそれがわかります！」と言わなければならないでしょう。「清い」という言葉は、幸いな言葉です。わたしは常にそれを聖霊に結び付けて考えます。「清い」とは、全面的に聖霊に属するものを意味します。不純とは混合を意味します。神がわたしたちの目を開いて、天然の命は神のみわざに用いることができないということを知らせてくださる時に、わたしたちは、その教理がもはや楽しいものではないことを知るのです。むしろわたしたちは、自分自身の内にある不純なもののために、自分自身を嫌悪するのです。しかし、この点に到達した時、神は解放のみわざを開始されます。間もなく、わたしたちは神が解放のためになさった備えを見ていきますが、今ここで、もう少しこの啓示の問題にとどまらなければならないと思います。

神の光と認識

もちろん、もし人が心を込めて主に仕えようとしないなら、光が必要だとは思いません。どれほど光が必要であるかを感じるのは、その人が神に捕らえられ、神と共に前進することを願うようになった時のみです。わたしたちが神の心の思いを知るには光が根本的に必要です。また何が霊に属するものであって何が魂に属するものであるか、何が神のものであって何が人のものであるか、何が真に天の事柄であって何が地上のことにすぎないかを識別するため、霊の事と肉の事の相違を理解するため、また神が真に導いておられるのか、それともわたしたちが自分の感情や感覚や想像に頼って歩んでいるかを知るためには、光が必要です。クリスチャン生活で光が最も必要であることを見いだすのは、わたしたちが神に全く従いたいと願う境地にまで到達した時のことです。

わたしが若い兄弟姉妹と話し合う度に、何度となく一つの質問にぶつかります。それはこうです、「どのようにして、わたしは自分が霊の中で歩んでいることを知ることができるでしょうか？　わたしのうちでささやいている声のどれが聖霊からの声で、どれが自分から出たものであるかを区別するには、どうしたらいいのでしょう？」。この点では、みんな同じように思えます。しかしある人たちは、もっと先に行っています。彼らは自己の内をのぞいたり、識別したり、区別したり、分析したりすることによって、自分自身を一層深く束縛の中に引きずり込んでしまうのです。しかし、これこそクリスチャン生活で真に危険な状態なのです。なぜなら内なる認識は、自己分析という無益な道によっては決して到達することができないからです。

神の言葉は、わたしたちが自分の内なる状態を調べるようにとは決して告げていません(註)。このよう

(註)このことに対する二つの明らかな例外は、コリント人への第一の手紙第十一章二八節及び三一節と、コリント人への第二の手紙第十三章五節に見いだされます。しかし、前者はわたしたちに、わたしたちが主のからだを認識しているかどうかを識別するよう求めるものであり、これは特に主の食卓と関係があります。それは、自己を認識するようなこととは関係がありません。後者におけるパウロの強調は、わたしたちが「その信仰の中に」あるかどうか自分自身を調べることです。それは、基本的な信仰があるかどうかを調べるという問題です。その意味は、わたしたちがクリスチャンであるかどうかということです。ですから、これら二つの聖書の御言葉と、わたしたちがその霊の中を歩くことや自己を認識することとは、全く関係がありません。

な方法を取れば、ただ不確かさと迷いと絶望に導くだけです。わたしたちは自己に関する認識を持たなければなりません。わたしたちは内側で何が起こっているかを認識しなければなりません。わたしたちは愚か者のパラダイスに住みたくありません。全く間違っているのに、自分が間違っていることを知らなかったり、頑固な意志を持ちながら自分は神のみこころを遂行しているとは、考えたくありません。しかし、このような自己に関する認識は、わたしたちが内側に目を向けることによっては生じません。それは、自分の感覚、動機、及び内側で進行しているいっさいのことを分析し、自分が肉によって歩んでいるか、あるいは霊によって歩んでいるかを宣告しようと試みることによっては、生じないのです。

この点に多くの光を与えている幾つかの御言葉が詩篇にあります。第一は詩篇第三六篇九節です、「わたしたちは、あなたの光のうちに光を見るからです」。わたしはこの御言葉が、旧約聖書における最もすばらしい御言葉の一つであると思います。そこには二つの光があります。「あなたの光」があり、わたしたちがその光の中に入った時に、わたしたちは「光を見る」のです。

さて、この二つの光は異なっています。第一の光は客観的であり、第二の光は主観的であると言えるでしょう。第一の光は神に属する光であって、わたしたちの上に注がれています。第二は、その光によって与えられる認識です。「わたしたちは、あなたの光のうちに光を見る」。わたしたちは何事かを知り、何事かがはっきりとわかり、そうして見るでしょう。自己の内側をのぞいたり、内省的な自己分析をしたりしても、このような明らかな境地にまでわたしたちを導いてはくれません。わたしたちが見るのは、神から光が来る時です。

このことはとても簡単であると、わたしは思います。もしわたしたちが自分の顔が汚れていないことを確かめたいなら、どのようにしますか？　両手で注意深く顔をなで回して、感覚によって汚れを知るでしょうか？　もちろん、そのようなことをしません。鏡を見つけて、それを光の中に持ち出します。この光によって、すべてのことがはっきりとわかります。感情や分析によっては、何一つ見えるようにはなりません。神から光が来ることによってのみ、見ることができるのです。そして神の光さえ来れば、物事が正しいか間違っているかと問う必要はもはやありません。

次にあなたは、詩篇第一三九篇二三節にどのように記されているか思い出されるでしょう、「神よ。わたしを探り、わたしの心を知ってください」。「わたしを探り」とは、どういう意味か知っておられますか？　それは、わたしが自分を探るという意味でないことは確かです。「わたしを探ってください」とは、「あなたがわたしを探ってください！」という意味です。これが照らされる方法です。入ってきて探るのは、神であって人が探るのではありません。もちろん、そのことは、わたしが盲目的に歩み続け、自分の真の状態に不注意であってもよいという意味ではありません。そうではありません。ここの意味は、自己反省によって、わたしの自己の内に正されるべきものをどのように多く発見したとしても、そのような探索は、結局は表面的であって決して奥深い所までは届かないということです。わたしの自己に関する真の認識は、自分が自分を探ることではなく、神に探っていただくことによって与えられるのです。

しかし、現実の問題として、わたしたちが光の中に入るとはどういうことでしょうか？　それはどのように行なわれるのでしょうか？　わたしたちはどのようにして、神の光のうちで光を見るのでしょうか？

ここでまた詩篇の著者が、わたしたちを助けてくれます、「みことばの戸が開くと、光が差し込み、わきまえのない者に悟りを与えます」（詩一一九・一三〇）。霊的な事柄においては、わたしたちはみな「わきまえのない者」です。わたしたちは理解力が与えられるために、神に依り頼みます。特にわたしたちの真の性質に関しては、そう言えます。神の言葉が働くのはここなのです。新約聖書において、このことを最も明瞭《めいりょう》に述べている御言葉がヘブル人への手紙にあります、「神の言は生きていて活動しており、どんなもろ刃の剣よりも鋭く、魂と霊、関節と骨髄を切り離すまでに刺し通して、心の思いと意図を識別することができるからです。そして造られたものは、神の御前に一つとしてあらわでないものがないばかりか、すべての事は、わたしたちが言い開きをすべき方の目に、裸であらわにされているのです」（ヘブル四・十二―十三）。確かに、これこそ刺し通す真理の聖書の言葉であり、わたしたちの問題を解決する神の言葉です。それはわたしたちの動機を識別し、それが魂に属するか、あるいは霊に属するかを見極めるのです。

この点について、わたしたちは物事の原則的な面から実際的な面へと移ることができると思います。わたしたち多くの者は、神の御前で正直に生活していると思います。わたしたちは主の中で進歩してきていますし、自分に大きな間違いがあるとも思えません。ところがある日、このような生活の中で、「みことばの戸が開くと、光が差し込み」という言葉を経験します。神はご自身のしもべを用いて、神の生ける言葉をもってわたしたちに語ってくださり、その結果、神の言葉が開かれます。あるいはまた、わたしたち自身が神の御前で待ち望んでいる時に、記憶している聖書の言葉からか、あるいは読んでいるページからか、あるいは直接的に神の言葉が力をもってわたしたちに迫って来ます。その時に、わたしたちは一度も見たことのない何かを見るのです。わたしたちは心を刺され、どこが誤っていたかを知ります。そこで上を仰いで告白します、「主よ！　わかりました。ここに不純なものがありました。わたしは何と盲目だったことでしょう！　こんなにも長年の間、この点で誤っていながら、少しも気づかなかったとは、何と恥ずかしいことでしょう！」。光が入ってくる時、わたしたちは光を見ます。神の光が、わたしたちを光の中にもたらし、見えるようにするのです。このような方法によって、わたしたちは自分自身を認識することができるのです。これは不変の原則です。

それはいつでも聖書の言葉であるとは限りません。わたしたちのうちのある者は、真に主を認識している聖徒を知っています。その人と共に祈り、または共に語ることにより、その人から輝き出る神の光の中に、以前見たことのなかった何かを見るのです。わたしはそのような姉妹に会ったことがあります。彼女は、今は主と共にいるのですが、わたしはこの姉妹のことを、いつも「光を放つ」クリスチャンとして思い出します。ただその姉妹の部屋に入りさえすれば、すぐにわたしは神の臨在を感じることができました。当時、わたしは非常に若く、救われて二年ほどたったばかりで、多くの計画、多くの美しい思想、もし実を結べばすばらしいと思われるとても多くの事柄を持っていました。わたしはこのようなものをすべて携えて彼女のもとへ行き、彼女を説得し、これをすべきである、あれをすべきであると語ろうとしました。

わたしが口を開く前に、彼女は普通の調子で数句の言葉を語りました。すると光が見え始めたのです！そのため、わたしは全く恥じ入りました。わたしの「行なうこと」、わたしの計画はすべてあまりにも天然のものであり、あまりにも人間臭かったのです。何事かが起こりました。そしてわたしは、次のように言うよりほかなくなりました、「主よ、わたしは肉の活動に心を奪われています。けれども、ここに、それらの事柄に少しも触れられていない聖徒がいます」。彼女にあるのは、ただ一つの動機、ただ一つの願望のみでした。そして、それは神のためのものであったのです。彼女の聖書の見返しには、次のような言葉が記されていました、「主よ、わたしは自分自身のためには何も求めません」。そうです、彼女はただ神のために生きたのです。そして、そのような人がいる所ではどこでも、あなたはそのような人は光に浴している人であり、その光は他の人を照らしていることを知るでしょう。これこそ真の証しなのです。

光には法則があります。それは受け入れられる所で、どこでも輝くということです。この受け入れられるということが、唯一の条件です。わたしたちは、光を自分自身から閉め出すかもしれません。そして光が恐れているのは、ほかでもなくこのことです。もしわたしたちが自分自身の心を神の御前に開きさえすれば、神は光を現されます。しかし、わたしたちが自分は正しいと誇りを持って、心の中に閉ざされた領域を持ち、かぎをかけ、囲いで巡らした場所を持つ時に、問題が起こります。ですから、わたしたちの敗北は、ただ単にわたしたち自身が悪いということだけではなく、わたしたちが自分の間違っていることを知らないところにもあるのです。間違いとは天然の力の問題であり、無知とは光に関する問題であります。あなたは一部の人の中に天然の力を見ることができるでしょうが、彼らはそれを自分で見ることができないのです。わたしたちが誠実になり、へりくだって神の御前に自分自身の心を打ち明けることが、何と必要なことでしょう！　心を開いた人は、見ることができるのです。神は光です。そして、わたしたちは神の光の中に生きている時、理解できないということはあり得ません。もう一度、詩篇の著者と共に言いましょう、「どうか、あなたの光とまことを送り、わたしを導いてください。あなたの聖なる山、あなたのお住まいに向かってそれらが、わたしを連れて行きますように」(詩四三・三)。

神を賛美します。現在、クリスチャンの注意が以前よりも罪に対してより多く向けられています。多くの場所で、クリスチャンの目が開かれて、個々の罪に対する勝利の生活が重要であることを知るようになっています。その結果、多くの人々が罪からの解放と勝利とを求めて、主により近く歩んでいます。主に向かう動き、神に対する真の聖別に立ち帰る運動について、主を賛美すべきです。しかし、それだけでは不十分です。触れられなければならない一つの事があります。それはまさに人の命そのものであって、単に個々の罪ではないのです。人の個性と魂の力が問題の中心です。罪の問題をすべてとするのは、まだ表面的な見方であるにすぎません。聖別とは、もしあなたが個々の罪に関して言っているだけだとすれば、依然として外面的なものであり、表面的なものであるのです。あなたはまだ悪の根源に触れていないのです。

アダムは殺人を犯すことによって、罪をこの世にもたらしたのではありません。殺人はもっと後に起こりました。アダムは神から離れて自分の力で進むことができる点にまで、魂を成長させる手段を選ぶことによって罪を招き入れたのです。ですから、神は人をご自分の栄光を現す存在とし、みこころを宇宙において達成する器とならせるならば、それらの人々は、その命と息が神に依存していなければなりません。神は彼らの「命の木」です。

わたしの自身の内に欠けているものを知れば知るほど、わたしたちすべては神の子供たちとして、すべてを神から求める必要があることを認識するものです。これがわたしたち自身に関する真の啓示です。繰り返して言いますが、わたしは、わたしたちが永久に自分自身を探り続けて、「これは魂だろうか、霊だろうか？」と問うべきであると言っているのではありません。そのようにしても何の益ももたらしません。それはわたしたちを暗黒に陥らせるだけです。聖書は、どのように聖徒たちが自己を認識するように導かれたかをわたしたちに示しています。それは常に神からの光によるものであり、その光とは神ご自身です。イザヤ、エゼキエル、ダニエル、ペテロ、パウロ、ヨハネのすべては、主がご自身を彼らの上に照らされたので、自己を認識しました。神の光の照らしが、啓示をもたらし、罪の意識をもたらしたのです（イザヤ六・五、エゼキエル一・二八、ダニエル十・八、ルカ二二・六一、六二、使徒九・三―五、啓一・十七）。

神の光で照らされない限り、わたしたちは罪の憎むべきことも、自分自身の憎むべき者であることも知りません。わたしはここで感情的な事柄についてではなく、主ご自身が神の言葉によってわたしたちの内側に啓示されることを語っているのです。神聖な光は、教理だけでは決してなし得ないことを、わたしたちのために行ないます。

キリストはわたしたちの光です。キリストは生ける言葉であり、わたしたちが聖書を読む時に、彼の中の命が啓示をもたらすのです。「この命は人の光であった」（ヨハネ一・四）。このような霊的照らしは、直ちにわたしたちの上に臨むのではなく、徐々に来るものであって、それは次第に明らかになり、隅々まで探り出し、ついには神の光の中に自分自身を見、すべての自己中心の確信を消え去らせるのです。なぜなら、光はこの世で最も清いものであるからです。光は清めます。光は殺菌します。光はあるべきでないものを殺します。その輝きにおいて「関節と骨髄を切り離す」ということが、単なる教えではなく、事実となるのです。わたしたちは人間性の腐敗と自己の忌まわしさと、制御することのできない魂の命と力が、どのように神の働きにとって脅威であるかを知る時に、恐れとおののきを覚えずにおれないのです。かつてないまでに、わたしたちは、もし神がわたしたちを用いようとされるなら、神の激しい対処がどれほど必要であるかを知るものです。また神から離れては、神のしもべとしてのわたしたちの存在は、絶たれていることを知るのです。

しかし、ここで最も広い意味での十字架が、再びわたしたちの助けとして来ます。これから十字架の働きの別の面を見ます。すなわち、どのように人の魂の問題を対処するかを見ようと思います。なぜなら十字架を徹底的に理解することは、主イエスご自身が進んで取られた神に依り頼む地位に、わたしたちを伴い行かせるからです。主イエスご自身、次のように言われました、「わたしは自分からは何も行なうことができない。わたしは聞くとおりに裁く。そしてわたしの裁きは正しい。なぜなら、わたしは自分の意志を求めないで、わたしを遣わされた方のみこころを求めるからである」（ヨハネ五・三〇）。

第十三章　前進する道――十字架を負うこと

わたしたちは前の章で主のための奉仕について何度か触れました。今度は、神が人の魂の命によって生じる問題を解決するために備えてくださった事柄を考えたいと思います。ところで、まず見たいのは、このような奉仕のすべてを支配する原則は何であるかを考えに入れて、この問題に近づくならば、非常に有益であると思います。神は、ご自身に対するわたしたちの働きを支配する原則を用意されました。神に奉仕しようとする者は、だれもその原則から漏れることはありません。ご存じのように、救いの基礎は、主の死と復活の事実です。わたしたちの奉仕の条件も、これと同じように明確です。すなわち、主の死と復活の事実が、神に受け入れられる根拠であるように、死と復活の原則が、神に対するわたしたちの生活と奉仕の基礎であるのです。

すべての真の務めの基礎

死と復活の原則を認識しなければ、だれも真の神のしもべとなることはできません。主イエスご自身でさえも、その根拠に立って仕えられたのです。マタイによる福音書第三章には、主が公の生涯に入られる前にバプテスマされたという記事が記されています。

主がバプテスマされたのは、主が罪を持っておられたからでも、また清めを要するものを持っておられたからでもありません。決してそうではありません。バプテスマは死と復活の事実を表徴します。主の奉仕は、主がこの基礎の上に立たれた時に開始されたのです。主がバプテスマされて、自ら進んで死と復活の基礎に立たれた後、聖霊が主の上に下られ、そして主は奉仕の生活に入られたのでした。

このことは、わたしたちに何を教えるのでしょうか？　わたしたちの主は罪のない方でした。イエス・キリストのみ、罪を知ることなしに地上を歩むことができました。しかもイエスは、人として父なる神とは別の人格を持っておられました。さて、わたしたちが主について語る時は、十分に注意深くなければなりません。しかし、主の次の言葉を思い出してください、「わたしは自分の意志を求めないで、わたしを遣わされた方のみこころを求めるからである」。これはどのような意味でしょうか？　もともと、これは主にはご自分の意志がなかったということではありません。この言葉が示しているように、彼はご自分の意志を持っておられました。人の子として彼は、意志を持っておられたのです。しかし、主は自分の意志を行なわれませんでした。主は父のみこころを行なうために、この世に来られたのです。ここに問題の中心点があります。主と父とを区別しているものは、「人のかたちにつくられた」時、彼の中に入った人の魂です。わたしたちの主は、完全な人として、ちょうどあなたやわたしが魂と体を持っているように、魂と体を持っておられました。そのため彼は魂によって、すなわち、ご自身の意志によって行動することが可能であったのです。

ご存じのように、主がご自身の公の務めを開始される前、主がいったんバプテスマされると、サタンがやって来て主を試みました。サタンは、石をパンにすることによって主が人としての本質的な欲求を満たすこと、奇跡的な方法によって宮に現れ、人々の尊敬を即座に勝ち取ること、さらに主のために予定されている世界の支配権を一刻も延引することなく直ちに得ることを勧めて、主を試みたのです。なぜサタンが、このような変わった事をさせようと主を試みたか、あなたは不思議に思うかもしれません。そして、むしろサタンがなぜもっと徹底した方法で主に罪を犯させようと試みなかったのかと、考えるかもしれません。しかし、サタンはそうはしませんでした。サタンはそれほど愚かではありません。彼は、「もしあなたが神の子であるなら、これらの石がパンになるように命じなさい」と言いました。これはどういう意味でしょうか？　それは次のことを意味します、「もしあなたが神の子であるなら、あなたはそれを証明するために何かをしなければならない。さあ、これがそのための挑戦です。ある人は、あなたが神の子であるとの主張が本当であるかどうかという疑問を必ず持つでしょう。だから今それを証明することにより、最終的にこの事柄を解決したらどうですか？」。

このサタンの巧妙な誘いはすべて、主に自分自身のために行動させること、すなわち魂の力によって行動させようとすることであったのです。しかし主は、ご自身が取られた態度により、そのような行動を全く拒絶されました。アダムにあっては、人は神から離れ、自分自身の意志によって行動しました。それがエデンの園における悲劇の全体でした。ところが人の子は、同じような状態で別の立場を取られたのです。後になって、イエスは、それをご自身の基本的な生活原則とされました。わたしはギリシャ語による次の言葉が好きです、「子は……自分から何もすることができない」（ヨハネ五・十九）。魂の命の全面的な否定は、イエスの務めのすべてを支配すべきであったのです。

ですから、たとえカルバリの十字架がまだ将来の出来事であったとしても、イエスがこの地上でなされたすべての働きは、死と復活の原則に立ってなされたと言ってもよいのです。イエスの行なわれたすべての事柄が、この根拠の上に立っているのです。もしそうであるならば、すなわち、人の子が働かれるために予表の上でも原則の上でも、死と復活を通らなければならないとしたならば、わたしたちはなおさらそれ以外の道を取ることができるでしょうか？ 疑いもなく、主のどのようなしもべも、自己の生涯の中にその原則が働く経験を持たなければ、主に仕えることはできません。これは疑問の余地のない事柄です。

主は弟子たちをこの世に残して去られる時、このことを非常に明らかにされました。イエスは死んで復活されました。そしてイエスは、聖霊が下るまでエルサレムで待つように、と彼らに命じられました(使徒一・四―八)。さて、イエスが「高い所から力を着せる」(ルカ二四・四九)と言われている聖霊の力とは何でしょうか？ それはイエスの死と復活、及び昇天の結果にほかなりません。別の言い方をすると、聖霊とは、主の死、復活、及び昇天のあらゆる価値がわたしたちにもたらされるため、それらの価値を全部蓄えている器なのです。聖霊はそのような価値を「包含」し、わたしたちにそれを分与するのです。主が栄光を受けるまで聖霊が与えられなかったのは、そのためです。主が栄光を受けられた後、はじめて聖霊は、証し人として力を与えるため、人々の上に臨むことができたのです。すなわち、キリストの死と復活の価値なくしては、証しをすることは不可能でした。

旧約聖書を見ると、同様な事柄を見いだすことができます。民数記第十七章の、わたしたちの非常によく知っている御言葉を引き合いに出してみましょう。アロンの務めの問題について論争が起こりました。

イスラエル人の間でアロンが本当に神に選ばれた者かどうかということが問題になりました。人々は疑いを持ち続け、ついには「あの人は神の任命を受けているかどうかわからない」というようなことを言ったのです。そこで神は、だれが神のしもべであり、またただれがそうでないかを明らかにしようと決心されました。さて、神はどのような方法を取られたでしょうか？　十二本の枯れた杖《つえ》が、至聖所におられる主の前に証しのために置かれました。それらの杖は一晩中、そこに置かれました。そして翌朝、主は一本の杖に芽を出させ、花を咲かせ、実を結ばせることによって、ご自分の選んだしもべを示されたのです。

わたしたちはみなこの意味を知っています。すなわち、芽を出した杖は復活を示しています。神に承認された奉仕の印になるものは、死と復活です。もしあなたにそれがなければ、あなたは何も持っていません。アロンの杖が芽を出したことは、アロンが真の基礎の上に立っていることを証明しました。神は、死から復活の領域へと移った人のみを、ご自分の働き人として認められるのです。

わたしたちは、キリストの死が種々の方法、種々の面に働くことを学んできました。わたしたちはイエスの死が、わたしたちの罪の赦しに関してどのように働いたかを知っています。わたしたちの赦しが、流された血に基づいているということ、そしてまた血を流すことなくしては罪の赦しがないということを、わたしたちは知っています。次にわたしたちは、一層進んでローマ人への手紙第六章では、死がどのように罪の力を対処するために働くかを知りました。今後、わたしたちは罪に仕えないために、古い人が十字架につけられたということを学びました。そして、ここでも主の死がわたしたちの解放のために働いているということについて、主を賛美しました。さらに進んで、人の自己の意志の問題が起こってきます。そのため献身の必要性が明らかになります。ここでわたしたちは自己の意志を放棄して、主に従う願望がわたしたちの内に起こされるため、死が働いていることを知りました。このことは、まさにわたしたちの奉仕の出発点を構成するものですが、まだ問題の核心には触れていません。なぜなら魂とは何を意味するかの認識に不足しているからです。

ローマ人への手紙第七章には別の面が提示されていますが、それは、生活における聖別の問題、すなわち個人の実際生活における聖別に関するものです。そこでは、真の意味で神の人が自分の義によって神を喜ばせようとした結果、律法の下に陥り、律法によって彼の本性があらわにされるのを見るのです。彼は自分の肉の力で神を喜ばせようとします。そこで十字架は彼に次の告白をさせるところにまで連れて来なければなりません、「わたしにはできない。自分自身の力によっては、神を喜ばせることはできない。聖霊がわたしの内にあって行なわれるために、聖霊に依り頼む以外に道はない」。ある人たちは、この学課を学び、このような方法によって主の死の価値が働くのを発見するため、深い水の中を通られたことと思います。

どうか注意してください。生活上の聖別に関連してローマ人への手紙第七章に記されている「肉」と、神に奉仕する上で魂の命による天然の力の働きとの間には、なお大きな違いがあります。以上のことが、みな知られているにもかかわらず、しかも経験によっても知られているのに、なおわたしたちが奉仕の面で実際に主に用いられる前に、主の死が入ってこなければならないもう一つの領域がまだ残っているのです。以上のあらゆる経験にもかかわらず、この一層進んだ事柄がわたしたちのうちに実現されるまでは、わたしたちはまだ主に用いられるに当たって安全ではないのです。「高さ十二尺の壁を築き上げて、十五尺崩してしまう」という中国のことわざがあります。ああ、何と多くの神のしもべたちが、このような奉仕をしていることでしょう！　ある意味において、わたしたちは用いられるのですが、同時に自分の働きを、時には他の人の働きをも破壊してしまうのです。それは、まだ十字架によって対処されていないものがあるからです。

ですから、わたしたちは必ず見なければなりません。主がどのようにわたしたちの魂を対処されるのか、また続いてこの事柄が主に対する奉仕の問題とどのように触れているかを学ばなければなりません。

十字架の主観的な経験

今、福音書の四つの御言葉をわたしたちの前に置かなければなりません。それはマタイによる福音書第十章三四節から三九節、マルコによる福音書第八章三二節から三五節、ルカによる福音書第十七章三二節から三四節、ヨハネによる福音書第十二章二四節から二六節です。これら四つの御言葉には、それぞれ共通点があります。これらの御言葉は、人の魂の活動について主が語られた言葉です。そして、それらの箇所において魂の命のそれぞれ異なった面、また異なった表現が記されています。これらの御言葉において主は、人の魂はただ一つの方法によって対処されること、すなわち、わたしたちが日々十字架を負って主に従うことによると明確にしておられます。

先ほど見たように、ここで取り扱う魂の命、あるいは天然の命とは、古い人、あるいは肉に関する御言葉の示すものより一層深いものです。わたしたちははっきりしていなければなりませんが、古い人に関しては、神が強調されるのは、神がすでに一度限りで永遠に、わたしたちをキリストと共に十字架に釘《くぎ》づけられたということです。ガラテヤ人への手紙には、「十字架につける」ことがすでに成就された事実として、三度述べられているのを、わたしたちは見ました。またローマ人への手紙第六章六節には、「わたしたちの古い人が彼と共に十字架につけられた」という明確な宣言があります。この言葉の時制を強調して言い換えるなら、次のようになります、「わたしたちの内の古い人は、究極的に、また永遠に十字架につけられてしまっている」。それはすでに成就された事実であり、神の啓示によって理解され、信仰によって受け入れられるべきものです。

しかし、十字架には一層深い面があります。すなわち、それは「日々十字架を負う」という表現が示しているものです。今までは十字架がわたしを負ってきました。今度は、わたしが十字架を負わなければなりません。この十字架は、内側の事柄です。それは、わたしたちが「十字架の主観的な経験」と言うものです。さらにそれは日々の経験であり、イエスに従って一歩一歩と歩むことです。それが今、魂に関してわたしたちの前に示されている事柄ですが、ここの強調点は、「古い人」の場合と同じではありません。ここでの意味は、わたしたちの天然の賜物、能力、人格、個性が全く取り除かれてしまう意味において、魂自体を十字架につけてしまうことではありません。もしそうであるならば、ヘブル人への手紙第十章三九節に「信仰を持って魂を獲得する」ということが、わたしたちに関して記されるはずがありません（参照、Ⅰペテロ一・九、ルカ二一・十九）。わたしたちはこのような意味で自分の魂を失うのではありません。なぜなら、もしそうであれば、わたしたちの個人の存在を完全に失うことになるからです。魂は、依然として天然の才能を持ったまま存在します。しかし十字架は、それらの才能が死に渡されるため、それらのものの上に主の死の印を帯びるため魂に適用されるのです。その後、神のみこころのままに、それらの才能は復活の領域でわたしたちに帰されるのです。

このような意味で、パウロはピリピ人への手紙の中で「キリストと彼の復活の力と彼の苦難の交わりとを知り、彼の死に同形化されて」（ピリピ三・十）という彼の願いを表しています。死の印は常に魂の上にあって、絶えず聖霊に従い、決して自己の権利を勝手に主張することのない場所に、魂を導くのです。このような働きをする十字架のみが、パウロのような大きな才能を持つ人、ピリピ人への手紙第三章に示唆されている天然の長所を備えた人物に対して、自分自身の力に絶対に頼ることができないと言わせるのです。ですからパウロはコリントの人たちに書き送っています、「なぜなら、わたしはあなたがたの間ではイエス・キリスト、しかも十字架につけられたこの方のほかは、何も知るまいと決心したからです。わたしはあなたがたと共にいた時、弱く、恐れ、ひどくおののいていました。そして、わたしの言もわたしの宣べ伝えも、知恵の説得力のある言によらないで、その霊と力の実証によりました。それは、あなたがたの信仰が、人の知恵の中にではなく、神の力の中で立つようになるためです」（Ｉコリント二・二―五）。

魂は情感の座です。わたしたちの決心と行為のとても大きな部分が、これらの情感に左右されています。もちろん、それらの情感自体には、徹底して罪深いというものはありません。ただ、わたしたちの内には、天然の愛情を通して他の人の所に出て行き、その結果、わたしたちのすべての行動に悪い影響を与えてしまうようなものがあることを言っているのです。ですから、わたしたちに提示されている四つの御言葉の第一において、主は次のように言わなければならないのです、「わたしよりも父や母を愛する者は、わたしにふさわしくない。わたしよりも息子や娘を愛する者は、わたしにふさわしくない。自分の十字架を負ってわたしについて来ない者は、わたしにふさわしくない」（マタイ十・三七—三八）。十字架を負って主に従うことこそ、主がわたしたちに与えてくださった正常な唯一の道であることを、知らなければなりません。この言葉のすぐ後に続くのは、「自分の魂の命を見いだす者はそれを失い、わたしのために自分の魂の命を失う者はそれを見いだす」（マタイ十・三九）という言葉です。

一つの隠された危険は、情感の巧妙な働きが、わたしたちを神の道から引き離してしまうことにあります。そして、そのかぎは魂の中にあります。十字架がこのことを対処しなければなりません。わたしは、主が言われたことにしたがって、わたしの魂を失わなければなりません。このことを、わたしたちは解釈しようとしているのです。

わたしたちの間のある人は、魂を失うことの意味をはっきりと知っています。わたしたちはもはや、魂の願望を満足させることはできません。わたしたちは魂に屈服することはできません。わたしたちは魂を喜ばせることはできません。それが、魂を失うということです。わたしたちは魂の要求することを拒絶する時、一種の苦しみを被る過程を通ることを避けられません。多くの時わたしたちは認めなければなりませんが、何か明確な罪が、わたしたちが最後まで主に従うのを阻むのではありません。わたしたちは、ある秘密の愛によって、ある天然の情感によって、わたしたちの道からそらされてしまうのです。そうです、情感はわたしたちの生活において極めて大きな地位を持っています。こういうわけで、十字架がやって来て、その働きをしなければならないのです。

マルコによる福音書第八章を参考にしてみましょう。わたしは、これは最も重要な御言葉であると思います。ピリポ・カイザリヤにおいて、わたしたちの主が弟子たちに、主がユダヤ人の長老たちによって殺されることを教えられると、その時、ペテロは主に対する心からの愛をもって、主をいさめました、「主よ、そのようなことをなさらないでください。御自愛ください。そのようなことは決して起こりはしません」。ペテロは主を愛するからこそ、主にご自分の命を救うようにと訴えたのです。しかし、主はあたかもサタンを叱責《しっせき》するかのように、ペテロが神のことを思わずに人のことを思っていると言って、ペテロを戒められたのです。そして、そこにいるすべての者に、次の言葉を重ねて語られたのです、「それから、イエスは群衆を弟子たちと共に呼び寄せて言われた、『だれでもわたしについて来たいと思うなら、自分を否み、自分の十字架を負い、わたしに従って来なさい。だれでも自分の魂の命を救おうとする者はそれを失い、わたしのため、また福音のために、自分の魂の命を失う者はそれを救う』」（マルコ八・三四―三五）。

ここでも問題のすべては魂です。この場合は、特に魂の自己保存に対する欲求について述べています。そこには「もし生きることが許されるならば、わたしは何でもする。どんなことでも喜んでする。とにかくわたしは生きなければならない」という魂の巧妙な働きがあります。そこで魂は助けを求めて叫ぶばかりです。「十字架のもとに行って、十字架につけられる。ああ、それはあまりにも大きな犠牲だ。自分自身を哀れみなさい。おまえは、自分の意志に反してまで神と共に行こうとするのか」。神と共に進むためには、多くの場合、自分自身の声であれ他人の声であれ、魂の叫びに逆らって進み、自己保存の訴えを沈黙させるために十字架を介入させなければならないということを、ある人々はよく知っています。

わたしは神のみこころを恐れているでしょうか？　わたしの人生の行程でわたしに非常に大きな影響をもたらした聖徒のことを、わたしはすでに述べました。彼女はわたしに何度も、「あなたは神のみこころを喜びますか？」と尋ねました。これは極めて大きな問題です。彼女は、「あなたは神のみこころを行ないますか？」とは尋ねず、常に「神のみこころを喜びますか？」と尋ねたのです。この質問は、他の何よりも深く触れます。わたしは彼女が一度、ある事柄で主と争っていたことを覚えています。彼女は、主が何を望まれているのか知っていました。そして彼女もまた、心の中ではそれを望んでいたのです。しかし、それは困難なことでした。わたしは、彼女がこのように祈ったのを聞きました、「主よ、わたしはそれを喜ばないことを告白します。しかし、どうかわたしの願いに譲歩しないでください。主よ、少し待ってください。そうすれば、あなたのみこころに必ず譲歩いたしますから」。この聖徒は、主が彼女の前に譲歩して、彼女への要求を弱められることを欲しなかったのです。ただ主に喜ばれることが、彼女にとって唯一の願いであったのです。

多くの場合、わたしたちは神のみこころがなされるために、わたしたちが善であり貴重であると思うものを、たとえそれが神ご自身に関するものであっても、進んで放棄するところまで来なければなりません。ペテロの関心は主に対するものであり、主に対する天然の愛によって表されました。あえて主を戒めるとは、ペテロは主に対する驚くほどの愛を持っていたに違いないと、わたしたちは思います。強い愛のみが、このような思い切ったことをなすことができると、わたしたちは考えます。なるほどそうでしょう。しかし、もし魂という不純物が混じっていない純粋な霊のみが存在するならば、あなたはペテロの間違いを犯すことはあり得ません。そして神のみこころを認め、みこころのみがあなたの心の中に深い喜びをもたらすことを発見するでしょう。またあなたは、もはや肉に同情して涙を流すことさえないのです。まさしく主の十字架は深く切り込みます。そしてわたしたちは、ここでも再び十字架が魂を徹底的に対処しなければならないことを知るのです。

主イエスはもう一度魂の問題について、ルカによる福音書第十七章で取り扱っておられます。今度は、主の再臨に関して述べられています。「人の子が現れる日」についてイエスは語り、かの日と「ロトがソドムから脱出した日」（二九―三〇節）とを比較しておられます。そのすぐ後に、「携え上げ」について二度繰り返して語っておられます。「一人は取られ、一人は残される」（三四―三五節）。しかし、ロトがソドムから救い出されることに関する説明と携え上げの言及の間に、イエスは次の驚くべきことを言っておられます、「その日には、屋上にいる者は、家の中の自分の物を取りに下りるな。畑にいる者は、同じように、後ろの物を取りに戻るな。ロトの妻を思い出しなさい」（三一―三二節）。ロトの妻を思い出しなさい！　なぜでしょうか？　それは、「自分の魂の命を保とうとする者はそれを失い、失う者はそれを生かす」（三三節）からです。

もし、わたしが間違っていなければ、これは新約聖書において、携え上げに対するわたしたちの応答を示す唯一の箇所です。これまで、わたしたちは人の子が来られる時には自動的に携え上げられると考えてきたことでしょう。なぜならコリント人への第一の手紙第十五章五一節と五二節には、「わたしたちすべては変えられます。それは最後のラッパの時、一瞬にして、またたく間にです」と書かれているからです。しかし、二つの御言葉をどのように調和させたとしても、このルカによる福音書の御言葉は、少なくともわたしたちを立ち止まらせ、反省させるように思われます。というのは、ここでは一人が取られ、一人が残されるという点に特別な強調点が置かれているからです。ここで問題になるのは、携え上げの招きに対するわたしたちの応答です。そして、この根拠に立って、わたしたちが用意をしているようにと、最も緊急な呼びかけがなされているのです（参照、マタイ二四・四三）。

このことを説明する理由は確かにあります。疑いもなく、携え上げの招きによって、それ以前の主の前でのわたしたちの歩みとは関係なく、奇跡的な最後の瞬間で変化が生ずるというのではありません。そうではなく、わたしたちはその瞬間に、自分の心の宝が実際には何であるかを発見するのです。もしその宝が主ご自身であるなら、後ろを振り返って見るようなことはないでしょう。後ろを振り返って見ることが、すべてを決定してしまいます。与えてくださる方より、神の賜物のほうに心が引かれやすいものです。それだけではなく、神ご自身よりも、神の働きのほうに心が引かれやすいということを、付け加えておくべきでしょう。

例を挙げましょう。わたしは現在(一九三八年)、一冊の本を書いています。今、八つの章を書き終えましたが、まだ九つの章を書かなければなりません。このことを、わたしは主の御前で非常に心にかけています。しかし、もし「ここに上って来なさい」という「神の」呼びかけがあったとします。そして、それに対するわたしの返答が「わたしの本はどうなるのですか？」と言うのであれば、「よろしい、それならば、地上にとどまってそれを書き終えなさい」と神は答えられるでしょう。わたしたちが階下（地上）で行なう貴重な事柄は、わたしたちをこの地上に釘づけにするくさびとなるのに十分です。

これは完全に、魂によって生きるか、あるいは霊によって生きるかという問題です。ルカによる福音書のこの御言葉において、この地上の事柄（別に罪のある事柄でないことに注意してください）に携わっている魂の命を見ます。主は、ただ結婚、畑仕事、食事、売ることについてだけ述べておられます。しかも、これらのものは合法的な行為であり、本質的に悪いものではありません。しかし、それらのものに携わることが、あなたの心を引きつけ、それが地上にあなたを釘づけするのに十分なのです。その危険から逃れる道とは、魂を失うことです。このことは、テベリアの海辺に復活の主イエスを認めたペテロの行動に、美しく描かれています。ペテロは、ほかの者たちと一緒に以前の職業に戻っていきました。しかし今はもう舟のことなど彼の頭にはなく、また奇跡的に用意された魚によっていっぱいに満たされた舟のことさえ、念頭になかったのです。ヨハネが主を認めて「主だ！」と叫んだ時、ペテロは「海に飛び込んだ」のです。

これこそ真の分離です。ここで論じている問題は、わたしの心はどこにあるかということです。十字架は、主ご自身以外のすべての物事、すべての人々から霊的に分離するため、わたしたちの内に働かなければなりません。

しかしながら、ここに至っても、わたしたちはまだ魂の活動の外面のみを取り扱っているにすぎません。魂はその情感を放縦させます。魂は自己を主張して物事を巧みに操ります。魂はこの世の事柄に心を奪われます。しかし、これらのことは、まだ小さなことであって問題の核心には触れていません。さらにより深い問題があるのです。それをこれから説明したいと思います。

十字架と実を結ぶこと

ヨハネによる福音書第十二章二四節から二五節をもう一度読みましょう、「まことに、まことに、わたしはあなたがたに言う。一粒の麦が地に落ちて死ななければ、それは一粒のままである。しかし、それが死んだなら、多くの実を結ぶ。自分の魂の命を愛する者はそれを失い、この世で自分の魂の命を憎む者は、それを保って永遠の命に至る」。

ここに十字架の内側の働きがあります。それはわたしたちが今まで語ってきた、魂を失うことです。すでにわたしたちは、そのことを一粒の麦において描写した主イエスご自身の死の面に結び付け、またその面にたとえてきました。彼の死は増加の目的を持っています。一粒の麦の目的は実を結ぶことにあります。自己の内に命を持つ一粒の麦があります。しかし、そのままでは「一粒のままである」のです。それは他のものに命を分け与える力を持っていますが、そうするためには死の中へと入って行かなければなりません。

さて、わたしたちは主イエスが取られた道を知っています。イエスは死の中を通り抜けられたのですが、すでに学んだように、その命は多くの命となって出現しました。御子は死に、そして「多くの子たち」の初穂として復活させられたのです。イエスは、わたしたちが彼の命を受けるため、それを捨てられました。わたしたちが死ぬために召されているのは、主の死のこの面においてです。そこにおいてイエスは、ご自分の死に同形化されることの価値を、明らかにしておられます。それは、わたしたちが天然の命、すなわち魂を失って、その結果、わたしたちが命を分与する者となり、わたしたちの内にある神からの新しい命を他の者に分け与えることです。これが奉仕の秘訣であり、神のために真の実を結ぶための道なのです。そのことをパウロはこう言っています、「なぜなら、わたしたち生きている者はイエスのために、絶えず死に渡されているからであり、それはイエスの命が、わたしたちの死ぬべき肉体に現れるためです。こうして、死はわたしたちの中で働き、命はあなたがたの中で働くのです」（Ⅱコリント四・十一―十二）。

今やわたしたちは、要点へとやって来ます。もしわたしたちがキリストを受け入れているなら、わたしたちは新しい命を内側に持っています。わたしたちのすべてが、その貴重な持ち物、すなわち宝を器の中に持っているのです。わたしたちの内に実在する神の命のゆえに主を賛美します。しかし。なぜその主の命の現れが、あまりにも少ししかないのでしょうか？　なぜそれは自分の内にだけとどまっていて、あふれ出て他の者に命を与えないのでしょうか？　なぜそれは、わたしたち自身の生活においてさえ現れることが少ないのでしょうか？　なぜ命があるのに命の印が非常に乏しいのでしょうか？　それは、わたしたちの内にある魂が、その命を包んで、閉じ込めているために（ちょうどもみが麦の粒を包むように）命は出口を見いだすことができないからです。わたしたちは魂によって生きており、自分自身の天然の力によって働き、奉仕しています。わたしたちは神から力を引き出していません。命があふれ出る道に立って妨害しているのは、魂なのです。魂を失いなさい。そうすれば満たしがあります。

暗やみの夜と復活の朝

再びわたしたちは、芽を出した杖に戻ることにします。その杖は至聖所の中に持ち込まれ、一夜(何も見ることのできない暗やみの一夜)を経て、朝になると芽を出したのです。このことは、死と復活、失われた命と獲得された命を、はっきりと語っています。ここにおいてあなたはまた、神によって証明された務めも見ました。しかし、このことは実際にはどのようにしてなされるのでしょうか？　どのようにしてわたしは、神がこのような方法によってわたしを取り扱っておられると知るのでしょうか？

まず最初に、一つのことを明らかにしなければなりません。天然の能力と才能を持った魂は、わたしたちが死ぬまで存続します。その時まで絶えず、わたしたちの内側で働き、肉の性質の源を深く泥さらえする十字架が、毎日毎日必要です。これが、マルコによる福音書第八章三四節の中に主張されている生涯奉仕する条件です。「だれでもわたしについて来たいと思うなら、自分を否み、自分の十字架を負い、わたしに従って来なさい」。わたしたちは、この学課を決して卒業することができません。そのことを避ける者は「わたしにふさわしくない」(マタイ十・三八)のであり、「わたしの弟子になることはできない」(ルカ十四・二七)のです。死と復活は、魂を失い、霊の働きを促すために、わたしたちの生活の永続的な原則とならなければなりません。

ところで、ここにもまた、一度通過したらわたしたちの全生涯と神への奉仕とを変貌《へんぼう》させてしまう転機があり得るのです。それは、わたしたちが全く新しい道に入るための狭い門です。そのような転機は、ヤコブの生涯でもペニエルで起こりました。神に仕え、神の目的を達成しようと努めていたのは、ヤコブの中にある「生まれながらの人」でした。「兄は弟に仕えるであろう」と神が言われたことを、ヤコブはよく知っていました。しかし、ヤコブは自分の才能や力によって、神の目的を達成しようとしたのです。それで神は、ヤコブの内にある天然の力を無能にさせなければならず、そのため彼のものつがいに触られたのです。ヤコブはその後、旅を続けましたが、足はずっと不自由でした。しかし彼の名が示すように、彼は以前とは違ったヤコブでした。彼は自分の足を持ち、それを使うことはできました。しかし彼の力は神に触れられたために足が不自由となり、しかもいっこうに回復する見込みはなかったのです。

神はわたしたちの深い暗やみの経験を通して、わたしたちの天然の力に触れ、根本的に弱め、もはや自分にあえて頼ることができない点にまでわたしたちをもたらさなければなりません。神がどのようにされるのか、わたしはあなたに告げることはできませんが、神は必ずそうされます。神はわたしたちのうちのある者を不思議な方法で取り扱い、わたしたちに困難で苦しい道を通らせ、わたしたちをそのような境地にまでもたらします。そしてわたしたちが、クリスチャンの働きをするのが「好き」ではなくなり、主の御名によって事をなすのが恐ろしくさえなる時が来るのです。しかし、その時になってはじめて、神はわたしたちを用いることができるのです。

わたしは悔い改めて一年の間、とても伝道する願いがありました。黙ったままでいることは不可能でした。わたしの内側で何かが動いていて、わたしを前に駆り立てるのでした。そのためわたしは絶えず活動を続けました。御言葉を宣べ伝えることが、わたしの生活そのものになったのです。主はあわれみ深くも、かなりの期間そのように進み続けることを許されるかもしれません。それだけでなく相当の祝福をも与えられるかもしれません。しかし、ついに、あなたを動かしている天然の力に触れられる日が来るのです。

その時より、あなたは自分がしたいからするのではなく、主が欲しておられるゆえにそれをするようになるのです。そのような経験を通る前にあなたが御言葉を伝えたのは、神に仕えることから得られる満足感のためであったのです。ところが主は時折、ご自分が欲しておられる事柄とわたしたちの好みとを一致させることができません。あなたは生まれつきの命によって生活しています。そしてその命には種々の表現があります。それはあなたの気性の奴隷です。あなたが感情的に主の道と一致する時は突進します。しかし、あなたの感情がほかの方向に向いているなら、たとえ義務のためであったとしても、あなたは少しでも動くのに気が進みません。つまり、あなたは主の御手にあって扱いやすい存在ではないのです。ですから、主はあなたの内にある好き嫌いによって選択する力を弱め、あなたがそれを欲するからではなく、主がそれを欲しておられるから行なうという所まで、取り扱われなければならないのです。その結果、あなたはそれが楽しくても、そうでなくても、全く同じようにするでしょう。御言葉を宣べ伝えること、あるいは神のためにあれこれ働きをすることによって、ある満足感が得られるからするというのではありません。あなたが行なうのは、それが神のみこころであるからです。それがあなたに意識的な喜びを与えても与えなくても、同じ熱意をもって行動するようになるのです。神のみこころを行なうことによって得られる真の喜びは、変わりやすい感情よりもはるかに深い所にあるのです。

神は、ご自分の願いが示されさえすれば、直ちにあなたが応答するというところまで、あなたを導かれつつあるのです。みこころにすぐに従うのが「神のしもべ」の霊です(詩四〇・七―八)。しかし、そのような霊は、わたしたちのうちのだれにも、自然に与えられるものではありません。天然の能力と意志と愛情の座である魂が、十字架に触れられてはじめて、与えられるのです。しかもなお、そのようなしもべの霊は、主がわたしたちすべての者の内に求め、また持たせてくださる霊なのです。その方法は、ある人々にとっては、苦しい長い過程を経なければならないかもしれませんし、またある場合には、短い時間になされるかもしれません。しかし、神には神の方法があるので、わたしたちはそれに心を向けなければなりません。

すべて真の神のしもべは、いつか自分が不治の不具者であることを知るのです。それ以後、彼は決して再び元どおりにはなりません。今後、自分自身を真に恐れるという気持ちが、あなたの中に確立されなければなりません。あなたはどのような場合でも、「自分自身」で何事かをするのを恐れるでしょう。なぜなら、あなたはヤコブのように、もし気ままに行動したら、神の厳しい取り扱いを受けることを知っているからです。またもし自分の魂の衝動によって行動するなら、主の御前にどのように苦しい時を持つかを知っているからです。すでにあなたは、愛の神の懲らしめの御手を経験したのです。神はあなたを「子として扱っておられるのです」（ヘブル十二・七）。聖霊ご自身があなたの霊と共に証しをし、また「彼と共に苦しむ」（ローマ八・十七）なら、わたしたちは相続と栄光とにあずかります。霊の父に対するあなたの応答は、「アバ、父よ」です(十五節)。

しかし、このことがあなたの内に真に確立された時、あなたは、わたしたちが「復活の境地」と言っている新しい境地に来たのです。死は原則において、あなたの天然の命に転機をもたらしたに違いありません。しかし、その時あなたは、神があなたを復活の領域へ移してくださったことを知るのです。あなたは、自分の失ったものが戻ってくるのを見いだします。しかも、それは以前の形においてではありません。今や命の原則があなたの内に働いているのです。命の原則、それはあなたに力を与え、生気を与え、命を与えるものです。この時から、あなたの失ったものが、今度は訓練と制御の支配下にあって、戻ってくるのです。

この事をもう一度明確にしましょう。もしわたしたちが霊的な人になりたいと思うならば、何も自分の手や足を切断したりする必要はなく、そのまま五体を持っていてよいのです。また自分の魂を持ち、その機能を十分に使うことができます。しかし、それにもかかわらず、今では魂がわたしたちの命の泉でなくなっているのです。わたしたちはもはや魂の中で生きず、魂から力を得ず、魂によって生きることはありません。わたしたちはそれを使用するのです。体がわたしたちの命になった時、わたしたちは獣のような生活をします。魂がわたしたちの命となる時、わたしたちは神に対する謀反人また逃亡者として生活するのです。もちろん才能も教養も教育も備わっているでしょうが、神の命から離れているのです。しかし、わたしたちが霊の中で、また霊によって生きるようになると、わたしたちは依然として体の機能同様、魂の機能をも使うのですが、その機能は、霊のしもべとなっているのです。わたしたちがこの点に到達した時、神はわたしたちを真の意味で用いることができるのです。

しかし、わたしたちの多くの者にとっての困難は、その暗やみの夜です。わたしの今までの生涯において一度だけ、主はご自身の恵みの中で、わたしを何か月もの間、脇《わき》に置き、霊的な面ではわたしは完全な暗やみの中に入ってしまいました。それは、まるで主に見捨てられたような状態でした。何一つとして進行しないように思われ、わたしは文字どおりすべてのことの終わりに到達したかのようでした。しかし、主は少しずつ状態を元へ戻してくださいました。わたしたちはいつも、自分自身の力によって元の状態に戻ろうとして、神の手助けをしようとします。しかし、覚えておいてください。至聖所において、長い一夜を過ごす必要があるのです。夜の間ずっと暗やみの中にいるのです。急ぐことはできません。神は、ご自身が何をしておられるかをご存じです。

わたしたちは、死と復活がわずか一時間のうちに経過されることを望みます。神がわたしたちを長い間、脇に置いたままにしておかれるということは、考えたくありません。わたしたちは待つことに耐えられないのです。わたしの口から、神がどれぐらいの時を取られるかを言うことはできませんが、原則的に見て、このことだけは安心して言えると思います。それは、神があなたをそこに置かれるのは、はっきりした一定の期間であるということです。その期間には、まるで何事も起こってはいないように見え、あなたが価値を置いたすべてのものが、握り締めている手の中からすべり落ちて行くように思われるでしょう。そこにおいて、あなたはドアのない壁にぶつかります。一見して自分以外のすべての人は祝福され、神に用いられており、他方あなた自身は、見捨てられているかのように思えます。しかし静かに横たわっていなさい。すべては暗黒の中にあります。しかし、それはただの一夜です。まる一晩経過しなければなりません。しかし、それだけです。その後、すべてのものが、栄光ある復活の形で帰ってくるのです。しかも、あなたの状態は、その前と後では比較できないほどの相違があるのです！

ある日、わたしは一人の若い兄弟と夕食を共にしました。主はこの若い兄弟に対して天然の力に関するこの問題について話しておられたのでした。彼はわたしにこう言いました、「主があなたに会って、根本的にあなたに触れ、そのためあなたが無能力者となったということは、本当に幸いなことですね」。わたしたちの前のテーブルの上には、皿にビスケットがありました。わたしはその一つを取り上げ、それを食べるかのようにして三つに割りました。それから注意深く元のように合わせて、こう言いました、「これは、見た目には異常はないようです。しかし、このビスケットは決して元のままではありません。一度あなたの背骨が折られると、それ以後あなたは神に少し触れられても砕かれるようになるのです」。

主は、ご自分のものをどのように取り扱うべきかを十分ご存じです。そして主は、わたしたちの根本的に必要とすることを十字架においてすべて成し遂げてくださったのです。神の御子の栄光が、そのことによって多くの子たちの内に現されるためです。この道を進んだ弟子たちは、使徒パウロの次の言葉、「わたしがわたしの霊の中で、御子の福音において仕えている神」(ローマ一・九)という言葉に心から共鳴することができると、わたしは信じています。これらの人たちはパウロと同じように、このような務めの秘訣を学んだのでした、「神の霊によって仕え、キリスト・イエスの中で誇り、肉を頼みとしない」(ピリピ三・三)。

パウロほど積極的な生活を送った人は、ほとんどないでしょう。ローマ人への手紙の中で、彼はキリストの福音をエルサレムからイルリコに至るまで宣べ伝えた、と書き記しています(ローマ十五・十九)。そして彼はローマへ行く用意ができている、と言いました(ローマ一・十)。またさらに、もし許されるなら、そこからスペインに行きたい、と記しています(ローマ十五・二四、二八)。しかしながら、地中海世界全体を包括する奉仕において、彼の心はただ一つの事柄に向けられていたのです。それは、すべての事を可能にする方を高く挙げるということでした。「こういうわけで、わたしは神に属する事柄で、キリスト・イエスにあって、誇りを持っています。わたしは言とわざによって、しるしと不思議の力の中で、神の霊の力の中で、異邦人を従順に至らせるために、キリストがわたしを通して成し遂げられたこと以外は、あえて何も語ろうとはしません」（ローマ十五・十七―十八）。これが霊の奉仕です。

どうか神がわたしたち一人一人をパウロと同じように、真の「イエス・キリストの奴隷」としてくださいますように。

第十四章　福音の目的

最後の章の出発点として、わたしたちは十字架の影において起こった福音書の中の出来事を取り上げてみましょう。その内容は歴史的であり、しかも預言的な出来事でした。

「さて、イエスがベタニヤにいて、らい病の人シモンの家で、食卓に着いておられた時、一人の女が、非常に高価で純粋なナルドの香油の入った石膏《せっこう》の壷《つぼ》を持って来て、その石膏の壷を砕き、彼の頭に注いだ。……しかし、イエスは言われた、……『まことに、わたしはあなたがたに言う。この福音が全世界のどこで宣べ伝えられても、この女の行なったことも、彼女の記念として語られるであろう』」（マルコ十四・三、六、九）。

このように主は、高価な油を主に注いだマリヤの物語が、常に福音の物語に同伴するよう定められました。すなわち、マリヤが行なったことは、常に主の行なわれたことと切っても切れない関係にあるのです。これは、主ご自身の言明です。主はこの事の上で、わたしたちに何を理解させたいのでしょうか？

わたしたちはみな、マリヤが主に油を注いだ物語をよく知っていると思います。ヨハネによる福音書第十二章に出ている記事から見ると、（この出来事は、マリヤの兄弟ラザロの復活の後しばらくして起こりました）、その家庭は特に裕福ではなかったように推察できます。姉妹たち自身が家事の仕事をしなければならなかったからです。このもてなしの時「マルタは給仕をしていた」と書いてあります（ヨハネ十二・二、参照・ルカ十・四〇）。明らかに彼女たちにとっては、わずかなお金も大切でした。それにもかかわらず、姉妹の一人マリヤは、自分の貴重な財産の中から、三百デナリの香油が入った石膏の壷を取り出し、その全部を主のために使い果たしてしまったのです。人の理性は、これは実に行き過ぎであり、主にささげ過ぎたと言いました。そのため、ユダは真っ先に、マリヤの行動は浪費であると不満をぶちまけ、他の弟子たちもこの意見を支持したのです。

無駄にすること

「ところが、何人かの者が憤慨して、互いに言った、『なぜこんなに香油を無駄に使うのか？　この香油を三百デナリ以上で売って、貧しい人たちに施すことができたのに』。そして、彼女に対して憤った」（マルコ十四・四、五）。主はこの御言葉を通して、特に「無駄にする」という小さな言葉に含まれた意味を、最後にわたしたちが共に深く考えることを望んでおられると、わたしは信じます。

「無駄にする」とは何でしょうか？　「無駄にする」とは、まず第一に、必要以上のものを与えることです。一シリングでよいのに一ポンドも支払ったとすれば、それは無駄遣いです。二オンスで足りるところを一キログラムも与えてしまうなら、それは無駄遣いです。ある仕事を終えるのに三日間ぐらいで十分なのに、五日間も一週間も使うなら、あなたは時を無駄遣いすることになります。「無駄にする」とは、あまりにも小さなものに、あまりにも多くのものを与えることを意味します。もしある人が自分の価値以上に受けたとすれば、それが無駄なのです。

しかし今ここで、わたしたちは福音の行く所ならどこへでも、その福音と共に宣べ伝えられなければならない、と主が言われた事柄を取り扱っているのです。このことを忘れないでください。なぜ主はこのように言われたのでしょうか？　それは福音の宣べ伝えが、この場のマリヤの行動の線に沿ったものを生み出すことを、主は意図しておられるからです。すなわち、主は人々がご自分のもとに来て、主のために自己を「無駄」にすべきことを意図しておられるのです。これが主の求めておられる結果なのです。

わたしたちは、主のために「無駄にする」ということの問題を、二つの観点から見なければなりません。すなわち、一つはユダの見解（ヨハネ十二・四―六）、もう一つは他の弟子たちの見解です（マタイ二六・八―九）。そしてわたしたちの現在の目的のために、この両方の記述を一緒に考えていきたいと思います。

十二人の弟子たちは、一人残らず、それを「無駄にする」ことだと考えました。イエスを一度も「主」と呼ばなかったユダにとっては、もちろん主に注がれたすべてのものが「無駄遣い」でした。香油が浪費であっただけでなく、ただの水でも浪費だったことでしょう。ここでユダは、この世を代表しています。世の評価では、主に対する奉仕とその奉仕のために自分を主にささげることは、全く無駄なことです。かつて主は、決して世の者から愛されたことがなく、世の人々は主を心にとめませんでした。そのため、どのようなものでも、主にささげることは浪費にほかならないのです。「もしクリスチャンでなければ、きっと出世したことでしょうに！」と多くの人は言います。なぜなら人は世の人の目からすれば、何らかの才能や財産を持っているものであり、そのため彼が主に仕えることは、世の人の目から見れば恥と思えるのです。世の人は、このような人材は、主にはもったいなさすぎると考えるのです。そして意義ある人生を何と無駄にすることか、と言うのです。

わたし個人の例を挙げさせてください。一九二九年に、わたしは上海から故郷の福州に帰りました。ある日、わたしは健康を害したため、非常に衰弱した体を杖《つえ》で支えながら道を歩いていましたが、途中で大学時代の教授に会いました。教授はわたしを喫茶店に連れて行き、わたしたちは席に着きました。彼はわたしを頭のてっぺんからつま先まで眺め、次につま先から頭のてっぺんまで眺めてこう言いました、「君の学生時代には、われわれは君にずい分期待をかけていたし、君が何か偉大なことを成し遂げるだろうと望みをかけていた。今日、君がこのようであることを、だれが信じられるだろうか！」。彼はわたしを射抜くような眼差しで、この質問を発したのです。正直なところ、わたしはそれを耳にした時、くずおれて泣き出したい衝動にかられました。わたしの事業、わたしの健康、わたしのすべては終わってしまったのです。しかも大学で法律を教えた教授が今ここにいて、「君は成功もせず、進歩もなく、何ら取り立てて示すものも持たずに、依然としてこんな状態でいるのか？」と尋ねているのです。

しかし、次の瞬間、それはわたしにとって初めての経験でしたが、わたしは自分の上に臨む「栄光の霊」と言われるものを経験したのです。自分の命を主のために注ぎ尽くすことができるという思いが、栄光をもってわたしの魂にあふれました。その時、栄光の霊そのものがわたしに臨んだのです。わたしは目を上げ、ためらうことなく言うことができました、「主よ、あなたを賛美します！　これこそ望み得る最善のことです。わたしの選んだ道は良い道でした」。わたしの教授にとって、主に仕えることは全く無駄であると思えたのです。しかし、福音の目的は、わたしたちに主の価値を真に評価させるためにあるのです。

ユダはそれを無駄であると感じました。「わたしたちは金銭を何か別の所に用いて、もっと有効に活用できるでしょう。貧しい人たちも多くいます。どうしてそのお金を慈善のためにささげて、貧民の生活向上のため社会奉仕をするとか、何か実際的な方法で貧しい人々を援助するとかしないのですか？　どうしてイエスの足もとに注ぎ出してしまうのですか？」（ヨハネ十二・四―六参照）。これこそ世の人たちの見方です。「あなたは、もっと生き甲斐のある良い職場が見つけられないのですか？　あなたはもっと良いことができないのですか？　あなた自身を完全に主にささげてしまうのは、ちょっと行き過ぎですよ！」。

しかし、もし主がそれに値する方であるなら、それがどうして浪費と言えるでしょうか？　主は、そのように仕えられるにふさわしい方です。主は、わたしをご自身の囚人にさせるのにふさわしい方です。主は、わたしが主のためにのみ生きるにふさわしい価値を持つ方です。主は、わたしたちのすべてを受けるのにふさわしい方です。それについて世間が何と言おうと、問題ではありません。主は「するままにさせなさい」と言われました。だから、わたしたちも思い悩まないことです。人々は自分の好きなことを言うかもしれません。しかしわたしたちは、主が「それは良いことである。すべての真のわざは貧しい人々のためになされるのではない。すべての真のわざは、わたしのためになされるべきである」と言われたその基盤の上に立つことができるのです。ひとたびわたしたちの目が主イエスの真の価値に目覚めたならば、主に対して良すぎるというものは、何一つとしてなくなるのです。

しかし、わたしはユダに関してあまり多く言いたくありません。次に他の弟子たちの態度について見てみましょう。彼らの反応のほうが、ユダの反応より、わたしたちにとっては重大な意義を持っているのです。わたしたちは世間の言葉にそれほど大きな注意を払う必要はありません。わたしたちはそれを忍ぶことができるのです。しかし、当然理解を持つべきである他のクリスチャンの言葉に対して、わたしたちは大きな注意を払います。しかも弟子たちは、ユダとその意見を共にしていることがわかります。それだけではなく、このことで彼らは心を乱し、憤慨さえしているのです。「弟子たちはそれを見ると、憤慨して言った、『なぜこんな無駄遣いをするのか？　これを高く売って、貧しい人たちに施すことができたのに』」（マタイ二六・八―九）。

もちろん、「最少の労力で最大の効果を挙げよ」という態度は、クリスチャンの間にも一般的なものであることを、わたしたちは知っています。しかし、ここではそれが問題なのではなく、問題はもっと深い所にあります。例を挙げてみましょう。「あなたはじっと座っており、多くの事をしないで人生を浪費している」とだれかがあなたに言わなかったでしょうか？　それらの人は言います、「あの人たちは出て行って、これこれの仕事をすべきだ。あの人たちは、あの群れの人たちを助けるために用いられることができるはずだ。それなのに、どうして彼らはもっと積極的でないのか？」。このように言う人たちの中心思想は、用いられるの一語に尽きます。彼らにとっては、すべてのものが彼らの理解している方法で十分に用いられなければ、気がすまないのです。

このような見地から、主に愛されているしもべに関心を抱き、その人は多くの事をしていないと考える人たちがいます。彼らは、もしその人がどこかの団体に入って、そこで大いに受け入れられ、指導的な地位につくならば、現在よりはるかに大きなことをなし得るだろうと考えます。長年よく知り合っている一人の姉妹のことは、前にも述べました。この人はわたしの生涯で最も大きな助けを与えてくださった人であると思います。この人は、わたしが親しくさせていただいた年月の間、非常に実際的な方法で主に用いられていました。もっとも、当時このことはわたしたち一部の者にとって、あまりはっきりわかりませんでした。実は、わたしの心には「この人は用いられていない！」という思いがありました。そのためわたしは、いつでも自分自身に尋ねていました、「どうしてこの人は、出かけて行って集会を開かないのか？どうしてどこかに出て行って何かしないのか？あの人が何も起こりそうもない小さな村に住んでいるということは、あの人にとって生涯の浪費だ」。時には彼女を訪ねて、まるで叫ぶようにして言ったものです。「あなたほど主をよく認識している方はいません。あなたは最も生きた方法で聖書を知っておられます。あなたは周囲の必要がわからないのですか？どうして何かなさらないのですか？ただ何もしないでここでじっとしているなんて、時間の浪費、力の浪費、金銭の浪費、あらゆるものの浪費ですよ！」。

しかし、兄弟たちよ、そうではありません。主から見れば、用いられるということが第一のことではないのです。確かに主は、わたしたちが用いられることを望んでおられます。もしわたしが、世の必要に対して自己満足的な態度を正当化したり、そのことについて消極的に語るなら、主はお許しにならないでしょう。主イエスご自身もここで言っておられるように、「全世界に福音は宣べ伝えられる」べきです。しかし、問題は何を強調するかです。しかし今日、振り返って見ると、主は事実上、いかにその親愛な姉妹を用いてわたしたち少数の青年に語りかけておられたかがわかります。当時、わたしたちは福音の働きのため、神の学校で訓練を受けていたのです。わたしはこの姉妹のことを、どれほど神に感謝しても足りません。

それでは何が秘訣でしょうか？　それは明らかに次の点にあります。すなわち、ベタニヤでマリヤの行ないを褒めることによって、主はすべての奉仕の基礎として、一つのことを定められたのです。それは、あなたのすべての所有、あなたそのものを主に注ぐということです。そして、もしそのことが主のあなたに課せられたすべてであるなら、それで十分ではありませんか。「貧しい人々」を援助するかどうかは、第一の問題ではありません。第一の問題は、主が満足されたかどうかということです。

わたしたちが語ることのできる集会は多くあり、わたしたちが仕えることのできる特別集会は多く、またわたしたちが責任を取ることのできる福音集会は多くあります。わたしたちが、それらのことをすることができないというのではありません。わたしたちは十二分に用いられるまでに労することができます。しかし主は、わたしたちが主のための働きに絶えず携わっていることについては、それほど関心を持たれないのです。そのようなことが、主の第一の目的ではありません。主に対する奉仕は、目に見える結果によって量ることはできません。親愛なる兄弟たちよ、主が最も関心を寄せておられるのは、主の足もとにおけるわたしたちの立場であり、またわたしたちが主の頭に油を注ぐということです。わたしたちが「石膏の壺」として大切にしているいかなるものも、すなわち、わたしたちにとって最も貴重なものであり、最も大切なものであっても、それらのものは十字架そのものによって造られたわたしたちの命からあふれ出たものですが、わたしたちはそのすべてを主にささげ尽くすのです。そのことは、よく理解しているはずの人たちにとっても、浪費と思われるでしょう。しかし、このことこそ、すべてにまさって主の求めておれるものなのです。しばしば主にささげるということは絶え間のない奉仕となって表れるでしょう。しかし主は、わたしたちを捕らえているのは、主であるのか、それとも奉仕であるのかを知るために、その奉仕をしばらくの間、中止させる権限を持っておられるのです。

主を満足させる奉仕

「この福音が全世界のどこで宣べ伝えられても、この女の行なったことも、彼女の記念として語られるであろう」(マルコ十四・九)。

なぜ主はこのように言われたのでしょうか？　それは福音がこのような結果を生むことを目的としているからです。そのためにこそ福音は存在するのです。福音はただ罪人を満足させるためだけのものではありません。主を賛美します。罪人は満足します！　しかし、彼らの満足は、福音の幸いな副産物であって、福音の主要な目的ではありません。福音が宣べ伝えられるのは、まず第一に主が満足されるためなのです。

わたしたちは、罪人の益ということをあまりにも強調しすぎ、主がご自身の目標として何をもくろまれているかを十分に認識していないのではないかと思います。わたしたちは、もし福音がなければ、罪人はどうなるだろうかと思案しますが、それは主要な目的ではありません。神を賛美します！　もちろん、罪人にも受くべき分はあります。神は罪人の必要を満たされ、大いに祝福を注いでくださいます。しかし、それが最も大切なことではありません。最も重要なことは、すべてのことで神の御子を満足させるということでなければなりません。主が満足されてこそ、わたしたちは満足し、また罪人も満足するのです。わたしはかつて主を喜ばせようと決心して、自分には喜びがなかったという魂に出会ったことがありません。そのようなことはあり得ないのです。まず主を満足させる時に、必ずわたしたちも満足するのです。

しかし、わたしたちが主に対して自分自身を「無駄」にしなければ、主は決して満足されないことを忘れてはなりません。かつてあなたは主にあまりにも多くささげすぎたということがあったでしょうか？　次のことを記憶していてください。わたしたちが学ぶべき学課は、神に対する奉仕は無駄にすることが必須の課目であるということです。用いられることを決定する原則は、散らす原則にほかなりません。神の御手の中で真に有益であるとは、「浪費」という尺度で量られるのです。あなたは自分でできると考えれば考えるほど、またあなたの才能を限界まで発揮しようとすればするほど（時にはその限界さえ越える人がいますが）、主の原則ではなく、この世の原則にしたがっていることがわかるでしょう。神がわたしたちを取り扱われるあらゆる方法は、もう一つの原則、すなわち、わたしたちの主のための奉仕は、主ご自身に仕えることからわき出るという原則をわたしたちの内に打ち立てるために企画されています。わたしたちが何もしないということを言っているのでなく、わたしたちにとって第一のことは、主ご自身であって、彼の働きではないと言っているのです。

しかし、わたしたちはとても実際的な問題に直面しなければなりません。あなたはこう言います、「わたしは地位を捨て、奉仕も捨てた。わたしは主と共に進むために輝かしい前途に対する魅力的な可能性を捨てた。さあ、これから主に仕えるように努力しよう。ところで、時には主がわたしの祈りを聞いてくださるように思われ、時には、主が明確な回答を与えずにわたしを待たせておられる。主は時にわたしを通り過ぎてしまわれるようだ。そんな時、わたしは自分を大きな組織の中にいる人と比較して考える。その人もまたわたしと同じように輝かしい未来を持っていた。しかし彼の場合は、それを捨てなかった。彼はなおお同じ状態を続け主に仕えている。彼は、魂が救われるのを経験しており、主もまた彼の働きを祝福しておられる。彼は成功している。物質的でなく霊的に成功している。そのためときどきわたしは、彼が非常に幸福そうであり、非常に満足しているので、彼のほうがわたしよりクリスチャンらしいと考える。結局このことから、どのような結論が出るのだろうか？　彼は楽しい時を過ごしているのに、わたしは困難な時だけに見舞われている。彼は決してわたしの取った道を歩かなかったのに、今日のクリスチャンが霊的な繁栄と見なしているものを多く持っている。しかし、わたしは多くの悩みに襲われている。いったいこれはどういうわけだろう？　わたしは人生を浪費しているのだろうか？　わたしはささげすぎたのだろうか？」。

これがあなたの問題です。あなたは、もし自分があの兄弟の通った道に従っていたなら、言うならば、困難を受けるほどに徹底してではなく、祝福を受ける程度に献身していたなら、また、主に閉じ込められてしまうほど徹底してではなく、主に用いられる程度に献身していたなら、何もかもうまく行っていた、と考えるのです。しかし、果たしてそうでしょうか？　あなたはそうでないことを十分に知り尽くしているのです。

あなたの目を他の人から離しなさい！　あなたの主を見上げ、主が最も高く評価されるものは何であるか、自らに尋ねなさい。「無駄にする」原則は、主がわたしたちを支配される原則です。「彼女はわたしのためにしているのである」。わたしたちが本当に主に対して人々の言うように自己を「無駄遣い」してはじめて、真の満足が神の御子の心にもたらされるのです。わたしたちはあまりにも多くのものをささげて何も得ていないように思われます。しかし、これこそ神を喜ばせる秘訣なのです。

親愛なる兄弟よ、わたしたちは何を追い求めているでしょうか？　わたしたちはこの弟子のように「用いられる」ことを追い求めているのでしょうか？　弟子たちは三百デナリのお金を完全に活用させようとしました。彼らにとって全体の問題は、計算できて記録できる意味において、神に「用いられること」にあったのです。しかし主は、わたしたちが「主よ、わたしはそんなことは意に介しません。ただあなたに喜んでいただければ、それで十分です」と言うのを待っておられるのです。

前もって主に油を塗る

「しかし、イエスは言われた、『するままにさせなさい。なぜ、彼女を困らせるのか？　彼女はわたしに良いことをしてくれたのだ。貧しい人たちは、いつもあなたがたと一緒にいるから、あなたがたはいつでも、彼らに良いことをしてあげることができる。しかし、わたしはあなたがたといつも一緒にいるわけではないのだから。彼女はできる限りのことをした。葬りのために、わたしの体に前もって油を塗ってくれたのだ』（マルコ十四・六―八）。

この御言葉の中で主イエスは、「前もって」という言葉によって、時間的な要素を入れておられます。この言葉は、現在にも適用して考えることができます。なぜなら、それは当時のマリヤと同様に、今日のわたしたちにも意義あることだからです。わたしたちはみな来たるべき時代には、今よりもっと偉大な働き、活動しないのではなく十分な活動へと召されることを知っています。「よくやった、良い忠信な奴隷よ。あなたはわずかな事柄に忠信であった。わたしはあなたに多くの事柄を管理させよう。あなたの主人の喜びに入りなさい」（マタイ二五・二一、参照マタイ二四・四七、ルカ十九・十七）。そうです。さらに大きな働きが待っているのです。なぜなら神の家の働きは、ちょうどこの物語の中で貧しい人々への配慮が続けられていたように、たゆみなく続けられるからです。弟子たちは貧しい人々といつも共にいるでしょうが、いつでも主と共にいることができたわけではありません。ここに、マリヤが主に香油を塗った物語の提示している事柄があります。すなわち、マリヤは「前もって」香油を塗らなければならなかったのであり、さもなければチャンスを逃してしまったのです。かの日には、わたしたちはみな、かつてなかったほどに主を愛するでしょう。しかし現在、自分のすべてを主に注いだ人が最大の祝福を得るのです。わたしたちが主に顔を合わせてお会いする時は、すべてのものを砕いていっさいを彼のために注ぐでしょう。しかし、今日、わたしたちは何をしているでしょうか？

マリヤが石膏の壷を砕いて主の頭に香油を注ぎかけてから幾日かした後、主の体に油を塗るため、朝早く出かけて行った婦人たちがありました。その婦人たちは、主の体に油を塗ることができたでしょうか？彼女たちは、あの週の初めの日に、その目的を達成したでしょうか？そうではありません。主に香油を塗ることに成功したのは、ただ一人でした。その人こそ、前もって主に香油を注いだマリヤなのです。ほかには一人もありませんでした。なぜなら主は復活されたからです。ここでわたしは、時間というものが、ちょうどこのような意味において、わたしたちにとってもまた重要な問題であるということを暗示したいのです。わたしたちに対する全部の問題は、今日わたしは主に何をしているかということにあるのです。

わたしたちの目は、わたしたちの仕えている方の尊さに向かって開かれているでしょうか？　わたしたちは最も愛着のあるもの、最も価値のあるもの、最も貴重なものだけが、彼のためにふさわしいということを知ったでしょうか？　貧しい人のための奉仕も、社会福祉のための働きも、人々の魂のための働きも、罪人の永遠の益のための働きも、これらはみな非常に必要であり、価値のある事柄ですが、ただそれらの働きが正しい場に置かれた場合にのみ正しいものであることを知ったでしょうか？　奉仕自体として考えてみれば、それらのものは主に対してなされる働きに比べれば、比較にならないほど価値がないのです。

主はわたしたちの目を開いて、わたしたちにご自身の価値を見せなければなりません。もしこの世界に何か貴重な芸術品があって、わたしがその高い代価を、例えば一千ポンド、一万ポンド、あるいは百万ポンドさえも払ったとすれば、だれがそれが浪費だと言うでしょうか？　浪費という考えは、わたしたちが主の価値をあまりにも安く見積もった時にのみ、キリスト教の中に入ってくる思想です。全体の問題は、主がわたしたちにとって、どの程度に尊い方であるかということです。もしわたしたちが主をあまり評価しなければ、たとえわずかなものであっても、主に何かをささげることは浪費としか思えません。しかし、主がわたしたちの魂にとって真に尊い方であるなら、主にとって良すぎるものはなく、高価すぎるものもありません。わたしたちの持つすべて、わたしたちにとって最も愛着のあるもの、最も価高き財宝もわたしたちは主に注ぎ、しかもその行為を恥とは思わないでしょう。

主はマリヤについて、「彼女はできる限りのことをした」と言われました。それはどんな意味でしょうか？それは彼女が自分のいっさいを費やしてしまったということです。彼女は将来のために少しも取っておかなかったのです。彼女は持ち物のいっさいを主のために費やしたのです。しかも復活の朝、自分の浪費を悔やんだりする理由を少しも持たなかったのです。わたしたちもまた、「できる限り」のことをするのでなければ、主は満足されません。といってわたしは、主のために何事かを行なう際の努力やエネルギーの消耗量を意味しているのではありません。ここでは、それは問題ではありません。主イエスがわたしたちの内に求めておられるものは、主の足下に投げ出された命です。それは主の死と埋葬、及び来たるべき日を観点として見た命なのです。主の埋葬は、ベタニヤの家におけるあの日に、すでに視野の中に入っていました。現在、視野に入っているものは主の戴冠式《たいかんしき》です。すなわち、主が栄光の中にあって油塗られた方、神のキリストとして迎えられる日です。その時には、わたしたちは主にすべてを注ぎ出すことでしょう！しかし今、わたしたちが物質的な意味での油ではなく、わたしたちの心から出る尊いものをもって主に油を注ぐことは、主にとって真に尊いことです。

ここで問題なのは、単なる外面的で表面的なことではありません。そのような事柄は十字架によってすでに対処され、わたしたちはそのことに対する神の裁きに同意を与え、経験においてそれが切り離されることを知るように学びました。神が現在、わたしたちに要求しておられるものは、あの石膏の壷によって代表されています。すなわち、それは深い底から採掘したもの、掘り出して加工したもの、真に主のものであるがために、マリヤがあの壷を秘蔵したように秘蔵したもの、しかも、あまり貴重なので割ろうとしないものです。それは、わたしたちの心から、わたしたちの存在の奥底から出て来ます。わたしたちはそれをもって主の御前に行き、それを砕き、主に注ぎかけ、「主よ、あなたの望まれるものはここにございます。これはみなあなたのものです。あなたはこれを受けるのにふさわしい方です!」と言うのです。そうすれば主は望まれるものを受け取られるのです。どうか主が今日、わたしたちからそのような油注ぎを受けられますように。

香り

「するとその家は、香油の香りで満たされた」(ヨハネ十二・三)。壷を砕き、香油を主に注いだ時、何とも言えない良い香りが家に満ちあふれました。すべての人がその香りをかぐことができ、それに気づかない人は、一人としていませんでした。これは何を意味するでしょうか?

真に苦難を被り、制限される経験を主と共に経て、自由の身になって神に「用いられる」代わりに喜んで主の「囚人」となり、ただ主にのみ満足を見いだすことを学んだ人に、あなたが出会う時はいつも、直ちに何かに気づきます。その時、直ちにあなたの霊的感覚は、キリストの芳しい香りを感じます。何ものかが砕かれ、その人の命において何ものかが破られたのです。そのためあなたは香りを感じるのです。かの日、ベタニヤの家に満ちた香りは、現在もなお召会に満ちています。マリヤの香りは、決してなくなることがありません。主のために壷を砕くには、ただ一撃しか必要でありませんでした。しかし、その一撃と香油の香りとは、永久に残るのです。

わたしたちはここで、わたしたちが何を行ない、何を宣べ伝えるかを語っているのではなく、わたしたちはいかにあるべきかということを問題にしているのです。おそらく、あなたは主ご自身の印象を他の人に与えるために、自分を用いてくださるようにと求めてきたかもしれません。このような祈りは、宣べ伝えたり教えたりするための賜物を求める祈りではありません。むしろ、他の人との接触において神を知らせ、神の臨在、神の意識を与えることができるようにとの祈りです。しかし愛する友よ、主イエスの足もとにおいてあらゆるものを、確かに最も貴重なものでさえも砕いてしまわなければ、あなたは神についてのこのような印象を他の人々に与えることはできないのです。

しかし、いったんこのような境地に到達したならば、あなたは外面的に見て大いに用いられていてもいなくても、ほかの人々の中に渇きを起こさせるために、神によって用いられ始めるのです。人々はあなたの中にキリストを感じるでしょう。主のからだに連なる最も小さな聖徒でも、それを感じるでしょう。それらの人は、ここに主と共に歩いた人、苦しみを受けてきた人、自分勝手な行動を取らなかった人、しかも主のためにすべてを明け渡すとはどのようなことかを知った人がいる、と感じるでしょう。そのような生活が人々に印象を与えるのです。そしてその印象は人々の心の中に渇きを生じさせ、その渇きは人々を励まして求める心を起こします。そしてついには彼らは神聖な啓示を得て、キリストにある豊富な命へともたらされるのです。

神はわたしたちを、まず第一にメッセージをしたり、あるいは神への奉仕をしたりするために、この地上に置いておられるのではありません。神がこの地上にわたしたちを置かれた第一の目的は、人々の心の中に神に対する渇きを起こさせるということです。つまり、このことがメッセージのために土壌を耕すことであるのです。

例えば、たった今おなかいっぱいに食べたばかりの二人の前に、おいしいお菓子を出したとしたら、その人たちはどのような反応を示すでしょうか？　二人はそれについて語り、その形を褒めたり、料理の仕方を話し合ったり、費用について議論したりするでしょうし、食べること以外は、何でもするでしょう。しかし本当に彼らが空腹であれば、間もなくお菓子は消えてしまうでしょう。霊の事柄についても同じです。何よりもまず、自分に欠けたものがあるとの意識が生じてはじめて、真の働きが開始されるのです。しかし、それはどのようにしてなされるでしょうか？　わたしたちは強制的に人々に霊的欲求を植え付けることはできません。わたしたちは人々に空腹を強制するわけにはいきません。飢え渇きは造られるべきものです。そして渇きは神の印象を携えている人によってのみ、他の人の内に造られるのです。

わたしはいつも、あのシュネムの女について考えるのが好きです。彼女は、自分が見た預言者について、だれであるかはよくわからないのですが、「いつもわたしたちのところに立ち寄って行かれるあの方は、きっと神の聖なる方に違いありません」（列王下四・九）と言っています。彼女にこのような印象を与えたのは、エリシャが言ったことでも行なったことでもなく、彼が何であったかということでした。彼がただそこを過ぎ去ることによって、彼女は何かを感じることができたのです。すなわち、彼女は見ることができたのです。わたしたちの周りの人々は、わたしたちについてどのように感じているでしょうか？　わたしたちは、自分が利口だとか、才能があるとか、自分はこれこれの者であるとかの印象を残すかもしれません。しかし、そうであってはなりません。エリシャが残した印象は、神ご自身の印象だったのです。

わたしたちが人々に与える影響というこの事柄は、一つのことに絞られます。すなわち、わたしたちの内側で働く十字架であり、その働きが神の心を満足させるのです。それは、わたしが神の満足のみを求め、そのために払う犠牲の代価がどれほど大きいかについては考えないことを要求します。すでにお話しした姉妹が、ある時とても困難な事態に立たされたことがありました。それは彼女のすべてを代価とするほどのものでした。その時わたしは、彼女と一緒にいたので共にひざまずいて涙の中に祈りました、「主よ、あなたの心を喜ばせるために、わたしは喜んで自分の心をも砕きます」。このように話すことは、わたしたち多くの者にとっては一種の空想的な情感にしかすぎないでしょう。しかし、特別な環境に立たされていた彼女は、実際に自分の心を砕きたいと願っていたのです。

キリストの香りを放って、他の人に必要を起こさせ、彼らに主を知るための行動を起こさせるためには、わたしたちは進んで降服し、すべてを砕き、すべてのものを主にささげる心を持たなければなりません。これこそ、すべてのものの中心であると、わたしは考えます。その一つの目的として、福音はわたしたち罪人の内に、神のみこころを満足させる状態を造り出すことを目指しています。しかし、主がそのようなものを受け取られるためには、わたしたちはすべての持ち物をもって、また全存在をもって主の御前に行き、わたしたちの霊的経験における最も貴重なものを携えて、次のように主に言わなければなりません、「主よ、わたしは喜んであなたにこれらのすべてのものを明け渡します。単にあなたの働きのためだけではなく、あなたの子供たちのためではなく、他の何もののためにでもなく、ただあなたご自身のためにこれらのものをささげます！」。

ああ、自らが無駄になるとは、何という祝福でしょうか！　主のために無駄になることは、祝福されることです。キリスト教世界の何と多くの有名な人たちが、このことを知っていないことでしょう。わたしたちの内の多くの者は、十二分に用いられてきました。むしろ用いられすぎであると言うべきでしょう。わたしたちは神に対して無駄になるということが、どんなことか知らないのです。わたしたちは絶えず動いていることを欲しますが、主はむしろ、時にはわたしたちが牢獄に入ることを望まれるのです。わたしたちは使徒の伝道旅行について考えます。しかし神は、ご自身の最大の使者たちをあえて獄につながれるのです。

「しかし神に感謝します。この方はいつもわたしたちを、キリストにあって凱旋《がいせん》行進の中で導き、至る所で彼を知る知識の香りを、わたしたちを通して現されます」(Ⅱコリント二・十四)。

「するとその家は、香油の香りで満たされた」(ヨハネ十二・三)。

主がわたしたちに、どのようにして主を喜ばせるかを学ぶための恵みを与えてくださいますように。パウロのように、わたしたちがこのことを最高の目的とする時(参照、Ⅱコリント五・九)、福音はその目的に到達したことになるのです。

ウオッチマン・ニー全集(第二期　第三三巻)

正常なキリスト者の生活

1998年1月31日　初　版
2017年1月20日　第二刷印刷発行　定価：本体2400円＋税

著　者　ウ　オ　ッ　チ　マ　ン　・　ニ　ー
発行所　JGW日本福音書房
〒162-0041 東京都新宿区早稲田鶴巻町540
TEL 03-6457-6243　FAX 03-6457-6244
振替口座00120－3－22883

落丁・乱丁の際はお取りかえいたします。
ISBN978-4-89061-232-1　C0016 ¥2400E